愛の エネルギー 家事

生活と気持ちが明るくなる、
小さな提案集

すてきメモ303選

加茂谷真紀
Maki
Kamoya

すみれ書房

今日より明日、明日よりあさってと、
暮らしは日々、いいほうへ向かっています。
いつもあなたは、暮らしをよくしようとしています。
いつもだれかが、暮らしをよくしようとしてくれています。

わたしの工夫がだれかを助け、
だれかの工夫がわたしを助けます。

自分だけでがんばらなくても、
苦しいことを、必死にやらなくても、
楽しいこと、好きなことを自然にやるだけで、
放っておいても、みんなの暮らしはよくなります。

はじめに

本書は、暮らしの提案集です。

生活と気持ちを明るくする工夫と、疲れたときに寄りかかって休める、止まり木のような言葉を集めました。

2年前、はじめての著作『愛のエネルギー家事』に、

「効率を追求せず、自分の機嫌のよさや気持ちの明るさを大切にすると、結果的に効率がよくなる。

人の心を優先すると、家がすーっと整っていく」

と書きました。

これは、ほんとうのことです。

まず、自分の気持ちを大切にして、自分にやさしく。

苦しいほうを選ばず、楽しくて気楽で明るく感じるほうを選んで大丈夫です。

そうしていると、不思議と人にも物にもやさしくなり、家のなかが愛に満ちてきます。

家のなかが愛で満たされると、その周辺にある仕事、人間関係にもやさしいエネルギーが伝わり、すべてのことが整ってくるのです。

このようなすてきなめぐりの第一歩が、自分の機嫌のよさを大切にすることなのですが、苦しい努力や忍耐に慣れている場合、明るく楽しいことを選ぶのが、少しむずかしいこともあります。

そこで、この『すてきメモ』の出番です。

パラパラとめくっていると、ふと気持ちが変わって、ブワーッとやる気がわいてくるかもしれません。ぐるぐると悩んでいたのに、「ま、いっか」と抜け出せるかもしれません。「今日はマンガ読んで眠っちゃおう♡」と心と体をいたわったり、「よくがんばった！」と自分をほめたくなったりするかもしれません。

家事をする人、勉強をする人、仕事をする人、子育てをする人、だれかのお世話をする人。それぞれに状況や背景、考え方が違いますので、役に立つ言葉も役に立たない言葉もあるでしょう。すぐに役に立たなくても、いつの日かあなたの生活と気持ちを少しでも明るく変える、「きっかけの言葉」に出会っていただけたら、こんなにうれしいことはありません。

加茂谷真紀

イラスト
本田 亮

DTP
つむらともこ

校正
鷗来堂

ブックデザイン
albireo

CONTENTS

第 1 章

生活を明るく

1 やりたいときに

やりたいことをやりたいときにやる。これが家事の大原則です。「やらなくては」という義務感は、自分の持っている力を小さくしてしまいます。

2 今日は何もしたくない

掃除も洗濯も料理も、今日は何もしたくない！

ＯＫです。すばらしいです。

その気持ちを大事に、今日は外食して、散らかったままの部屋で、にこにこと寝てしまいましょう。

そのとき大切なのは「できなかった」と自分を責めず、明るい気持ちで眠ること。そうすれば、明日には「家事をしたい！」というパワーがわいてきます。

3 「いま」の気持ちを最優先

今日は衣替えをしようと思ってた（けど、眠りたい）。今日は映画に行こうと思ってた（けど、大掃除を始めたら止まらない）。今夜はしょうが焼きの予定だった（けど、急にお鍋にしたくなった）。

すべて後者、つまり「いま」の気持ちを大事にしましょう。その瞬間やりたいことをやるほうが、効率がよくなります。過去に立てた計画にしばられないほうが、家も人も整っていくのです。

4 家事の服

家事をするとき、特にお料理をするときは、違和感のない、親しみを感じる服を着ましょう。

肌に触れる布地、着心地が無意識の「快／不快」を生み出します。

たとえば、コットン100％の肌着やTシャツ、パリッとした麻のエプロン。

寒い冬は、あたたかいウールのセーター、軽くて手を動かしやすいアウトドアブランドのダウンベスト。

暑い夏は、涼しいブルーのリネンワンピースに、汗を吸う絹のレギンス。

できれば化学繊維ではなく、綿、麻、ウールなどを選びます。それらの衣類には自然の記憶が残っています。身に着けると、あなたが自然のなかで暮らしているように心地よく、いら立ちにくいのです。

着心地のよくない服を着て家事をすると疲れが増しますし、いら立った気持ちで食材をさわると、料理にダウンエネルギーが伝わってしまいます。

着心地がよいとエネルギーが上がり、やさしく穏やかな気持ちが料理に伝わるため、食べた人が元気になります。

5

服は朝選ぶ

昨日と同じ日のように思えても、動と静、晴れや雨、固い日と緩んでいい日など、毎日違ったエネルギーです。前日に「これを着よう」と予定していても、当日気が変わるということがあるでしょう。それはとてもよいことです。その日の自分の気分や感情に寄り添う服を選ぶ練習をしていけば、心が整います。「着る服は当日の朝選ぶ」が大正解なのです。

6

定番のお気に入りを持つ

下着、洋服、靴下、贈り物など、「お気に入りの定番」を持ちましょう。暮らしが心地よくなるだけでなく、時間短縮につながります。

7

憂鬱が消える大きな傘

大きめの傘を買いましょう。「雨の日がいやだなあ」という気持ちがなくなります。紳士もの60センチでピンクの傘を見つけたとき、小躍りしました。バッグがぬれないだけで、傘のなかで鼻歌を歌えます。守られている感じも頼もしいものです。

8

料理のときにおでこを出す

おでこを出すことは心を開くこと。食べた人をオープンマインドで作った料理は、食べた人をオープンマインドにします。

物事が停滞していたり、心が閉じているときほど、前髪をあげておでこを出して。

9

料理は心をこめる

怒っている人が料理を作ると、なぜだかおいしさが感じられません。炊いたごはんもすぐににおいがしてしまいます。

心をこめて料理をすると、かんたんなものでも、おいしくなります。

愛情は手から伝わります。機嫌が悪いときや体調がすぐれないときには、料理をしないのがいちばんです。

10

クリスタルの髪ゴム

伊勢丹デパートでクリスタルの飾りがついた髪ゴムを見つけました。集中力がぐっと高まるので、ここぞというときにつけています。

11

青竹踏み

少し疲れたなあというときは、2〜3分、青竹踏みをしてみます。むぎゅ、むぎゅ、むぎゅ。あいたたたた、となりますが、頭のなかまでツーンとすっきりします。

30秒のシンク磨き

12

　食器洗いスポンジを水にぬらして、洗剤をほんの少しつけます。乱暴にこすらず、くるくると顔を洗うようにやさしくなでる。できれば「かわいいね、愛してるよ、大好き」と言えばすごくいいいんだけど、抵抗のある方は（笑）、とにかく大切なものをなでるように。

　くるくるとなで終わったら、お水をかけ流して終了。光り輝くシンクに驚くことでしょう。

13

ストレスを減らす在庫

日用品は少しだけ余裕在庫を持ちましょう。しょうゆ、酒、味噌、シャンプー、洗剤。かならず使う物を在庫しておくと、「買わなくちゃ」が減ります。

「あれしなきゃ」の回数が日常から少し減るだけで、気持ちがラクになります。

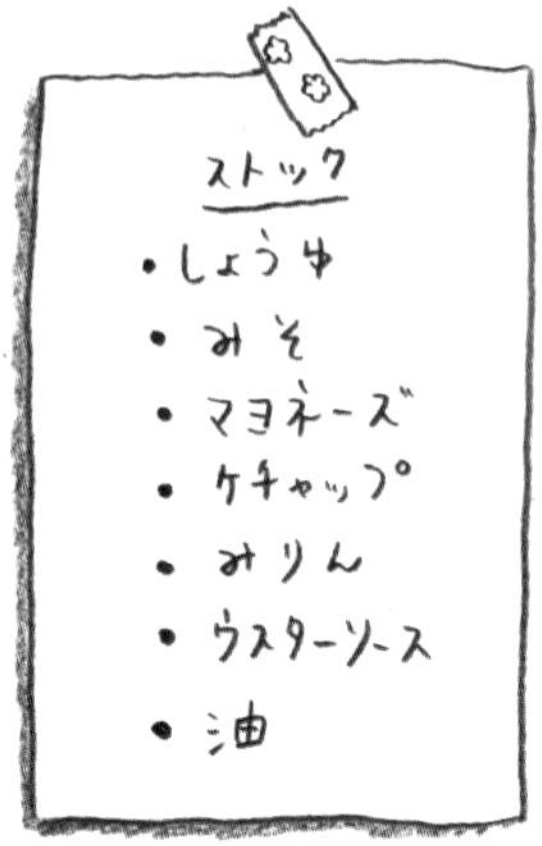

14

集中したいときの手洗い

「目は口ほどにものを言う」と言いますが、「手も口ほどにものを言い」ます。なぜか集中できないとき、手が少し汚れていることが多いようです。石けんでていねいに手を洗うと、サクサク軽やかに動けます。

15

子どもも自分で選んだ食器で

お子さんが使うお皿を、いっしょに買いにいきましょう。陶器屋さんでお子さん自身が選びます。プラスチックではなく土の記憶を持っている陶器であれば、どんなものでもよいでしょう。好きな器で食べるごはんは、格別のおいしさです。

子どもが選ぶまで
静かに待ちましょう。
好きなものがなさそうだったら
次の機会に。

16

手袋を買いに

冬に手袋は必需品です。寒さと乾燥から大切な手を守ってくれます。指を入れてみて、なめらかに動くものを選びましょう。手首が長めのものが特におすすめです。

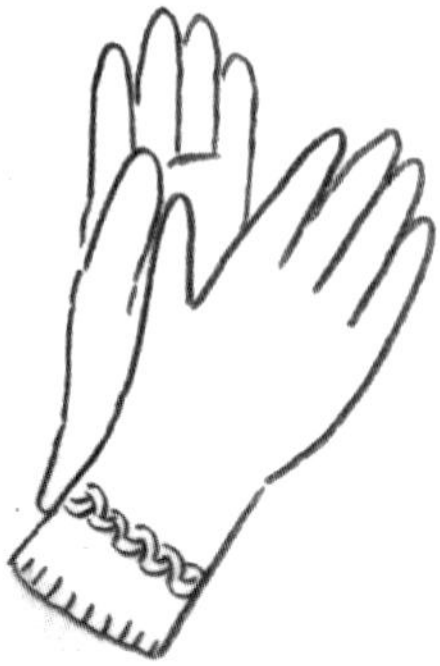

17

光っている本

本屋さんで光っているように感じる本、目に飛び込んできた本は、たぶんあなたに必要なことが書いてあります。

18

色の力を借りる

元気を出したい日は、オレンジ系やピンク系のものを身につけましょう。スカーフや靴下などに用いて差し色にしたり、ハンカチやバッグのキーホルダーなど、小さなアクセントでもじゅうぶんです。

小さな宝石を身に着ける

宝石は、小さくても華やかな差し色になります。その日の気分で選べば、石の意味を知らなくても、いまの自分に合ったものを手に取れるでしょう。

アクアマリン……頭と気持ちがスッキリ。イライラを防ぐ。
ラピスラズリ……防御と浄化。魔除け。
ペリドット……明るい陽気な気分。
トルコ石……自分らしさを取り戻す。
オパール……やさしい心。

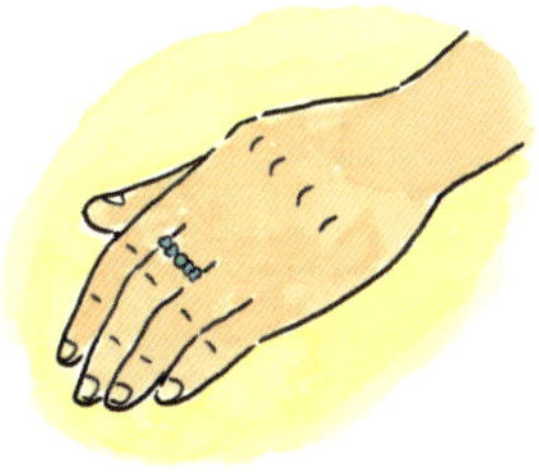

19

20

「そうだ、ピザを取ろう」というひらめき

疲れきっている日、ピザや出前を取ろうと思いついたとしたら、それはとても大事なひらめきです。

困ったときに人の力を借りることは尊い行為です。

すぐに注文して、おいしくいただきましょう。

第1章
生活を明るく

21

一生もののストール

マフラーやストールは、上質なものを求めれば何十年も使えます。洋服と違って流行もありません。

我が家には30年前にいただいたポール・スチュアートのストールがあります。大判のウールで、やわらかい肌ざわり。30年で厚みは半分ほどになってしまいましたが、それでもまだまだあたたかく、あと20年は役に立ってくれそうです。

22

ハグしましょう

ハグが好きです。犬のようです。しっぽを振って、飛びつかんばかりです(笑)。

ハグは、兄がアメリカの女性と結婚してくれたおかげで好きになった習慣です。それまでは、人にきゅっと近づくなんてまったくできませんでしたから。

30年前にはじめてハグしてもらったとき、「なんとすてき」と感動しました。

麻のパンツ8本

麻のロングワイドパンツを、ヘビロテしています。普段着にはもちろん、アイロンをかければ外出着になります。

合計8本も持っていて、家事や買い物用は紺色、外出や仕事用は黒とはき分けています。グリーン、ピンク、スカイブルーなどのきれいな色は、差し色にもなって華やかです。

お気に入りのお店の定番商品ですから、すり切れたら買いに行きます。このパンツさえ着ていればいつも機嫌よくいられて、着る服に悩むこともなくなりました。

24

一輪挿し

一輪挿しを楽しみませんか。小さな花をちょこんと飾ってみるのです。

花器はわざわざ買わなくても、ジャムや調味料の空き瓶もおしゃれです。

花を買うことは、日々の家計のやりくりからはなかなかむずかしいものです。ですから、まずは一輪。花を飾ることに慣れてくると、不思議なもので、だれかから花束が届くようになります。

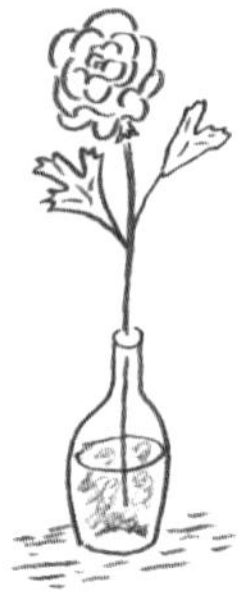

25

お茶は心をこめて

お茶をいれるとき、「おいしくなあれ」と心をこめると、どういうわけかおいしくなります。

でも、そっけなく気乗りもせず機械的にいれたお茶は、驚くほど無味です。急いじゃダメなんですね。

26

季節ごとの本を飾る

春には桜の写真集、お正月には餅つきの絵本など、季節の本を飾りましょう。玄関やリビング、トイレや台所、階段の途中、いろんな場所に本を飾ると心が明るくなります。

27

具だくさん野菜の味噌汁

元気を出したいときは、具だくさんのお味噌汁を。ごぼう、にんじん、大根、玉ねぎ、キャベツか白菜、じゃがいもかさといも、きのこ類、お豆腐、油揚げ、わかめ、長ねぎ。大きな鍋に、「これでもか！」というほどたくさんの野菜を入れるのが元気になる秘訣。

28

風邪をひいた家族への料理

まずは梅干しのおかゆに少し塩を入れて。大根のお味噌汁、豆腐のお味噌汁、あたたかいおそば、きのこ・にんじん・大根のうどん、はちみつとレモンのドリンク、野菜のポタージュスープ、茶碗蒸し、湯豆腐。あたたかい食事が回復を助けます。

29

洗濯回数を減らしましょう

忙しくてギリギリの状態のとき、まずやるべきは家事の「回数」を減らすことです。

管理職と親の介護で睡眠時間が3〜4時間になってしまったとき、減らせる家事の回数を減らしました。真っ先に減らしたのは洗濯。毎日していたのを週に2回に減らし、とてもラクになりました。

まず、家族の靴下や下着類を8日分以上に増やしました。1週間プラス1日くらいのストックがあると助かります。

毎日洗わなくちゃ汚いと思うかもしれませんが、お日さまに干せば大丈夫です。家族が多い人は、靴下と下着だけ2日に1回洗い、そのほかは週末にまとめるといいでしょう。大きな洗濯機を買うのもポイントです。ダブルの毛布まで洗えてすっきりします。この、

①在庫を持って
②家事の頻度を減らして（時間短縮）
③ラクになる

という考え方は、買い物や料理にも適用できます。まとめ買いや大鍋料理で回数を減らすと、ぐっとラクになります。

お風呂にキャンドル

お風呂の電気を消して、好きな香りのキャンドルを灯します。

うす暗い光に、ふだん酷使している目が癒されます。目が休まると心も静まってくるでしょう。

30

31

パニックになったとき

　自分で自分に言葉をかけること。「どうしよう、どうしよう」とうろたえても、自分をはげますのはあなたしかいません。


「落ち着け、自分」

「怖くないぞ、自分」

「何が必要？　自分」

「ふんばれ！　自分」

「集中！　自分」


　と声に出し、しっかり指令します。こうすれば、どんなにパニクっていても、必要最低限のことはできるものです。

32

トイレで切り替える

　トイレは、感情の切り替えができる場所です。トイレに入ると感情がフラットになり、「ふーっ」とひと呼吸、興奮を冷ますことができます。

　トイレに入ってまで「このやろー！」とか、「さっきのあれはさ！」とか思わない。不思議とクールダウンできます。

33

スイッチを拭く

スイッチを水拭きしましょう。毎日使う場所なのに、忘れがちです。感謝をこめてきれいにしましょう。

34

夜に笑う

夜なんて笑い声がはじけただけで、上出来です。

昼間にいろいろあっても、夜にひと笑い。笑ったあとに眠るとぐっすり眠れます。怖い夢も見ません。

だれかと電話でおしゃべり、ラインチャットもよし、お気に入りのマンガ、大笑いできるバラエティやお笑い、「推し」のYouTubeでにこにこ……。なんでもいいんです。寝る前にひと笑い、ぜひ。

雨の日に暗い気分になる人へ

35

ここだけの内緒話です。

実は雨の日は「静かにしていていいよ」というポジティブな日です。天気公認のダラダラゆるゆるDAY。しっとりゆったりすごすようにと、雨に誘われています。

なので、「暗い」のではなく「静か」なのです。

36

雨の日のアイロンがけ

雨の日には、アイロン台の前に座り込みます。コットンシャツや麻のクロス、ハンカチ類をまとめてシューシューとスチームアイロンをかけます。

湿気も手伝い、すべりもいい。晴れの日よりもかかりよく、シワがピンと伸びます。

梅雨時の生乾き衣類もカラリ＆スッキリ。よい風合いになります。

37

雨の日はお手入れびより

ボタンのゆるみ、カーテンのほつれ、すそが落ちたスカート。靴磨き、鍋磨き。暮らしのなかで少し待っていてくれたやさしい小物たちに目を向けましょう。

なんとなく後まわしにしていた手仕事が、シーンとした静けさと共鳴します。晴れの日よりもはかどるから不思議です。

38

雨の日のお風呂

雨でだるい日は、ゆっくりお風呂に入ります。休日ならば、思いきって朝からザブンと入ります。好きな本やマンガを持ち込んで長湯するのが楽しいのです。

本日スマホはお休みです。電磁波から離れて、水のエネルギーにひたりましょう。

靴をそろえる

39

靴をそろえるのは自然な行為。礼儀が身についているかなどは、本当はあまり関係ないのです。

ズバリその靴が大好きだと、自然とそろえたくなります。その靴がお気に入りだから、結果、やさしく触れる。手入れもていねいになる。靴も長持ちし、いつまでも履けます。

小さな子どもでさえ、大好きな靴はヒョコッとそろえます。

「好きな気持ち」を家事のスタートにすれば、すべての物・ことが整っていきます。

40

靴をそろえられない

今日もあなたは玄関に駆け込みました。パソコン入りのバッグが、ズシリと肩に食い込んでいます。

白菜・大根・牛乳にお味噌。両手いっぱい買い物してきたあなたの靴は、玄関であちこちに転がります。

「ちょっと待っててね」と心で声をかけると、靴はあなたを待っていてくれます。

毎日の暮らしのなかで、大事なものを両腕いっぱい抱えている人は、夕方に靴をそろえられなくてもいいのです。荷物を置いてから、鍋に具材を入れてから、夕食を済ませてからで大丈夫。

寝る前にササっと靴をそろえて、たたきを整えれば、玄関も気持ちも落ち着きます。翌朝になってももちろん大丈夫ですよ。

41

時にはいものも

白砂糖を控えると疲れにくくなります。ふだんの日は精製されていないミネラル多めのお砂糖を。でも、あれダメこれダメと暮らすことはきゅうくつです。時には甘いものもどうぞ召し上がれ。ケーキ、大福、クッキー。たまに食べるから心の栄養になります。

42

記念日にはお祝いを

家族の誕生日や記念日にはいつもより少しぜいたくな食事を楽しみましょう。お肉を焼いてワインを開けたり、外食してみたり。節目の日を特別な食事で祝うことは、家族をねぎらうことです。

言いにくいことですが、悲しそうな家はお祝いごとをスルーしていることが多いのです。

43

化粧水は変えない、悩まない

「ヒリヒリしない、スッとなじむ、なめらかになる」。一度お気に入りに出会ったら、浮気はやめましょう。そのまま何十年も継続利用です。どれにしようかと悩む面倒もなくなります。

あれこれ試す20代を過ぎたら、長く付き合えるものを決めましょう。

44

ついで掃除

洗面所は顔を洗うついでに掃除します。そばにティッシュかウエスを置いておいて、顔を洗ったあとに、残った水を使いながらひと拭き。面を変えて洗面台に落ちている髪の毛やほこりもサッととってゴミ箱へ捨てるだけです。

45

熟睡のために

眠るときは、携帯電話を少しだけ遠くに置きましょう。目覚ましがわりに枕元に置く方もいますが、電磁的なエネルギーが少ないほうが安眠できます。

手を伸ばして届くか届かないかのあたりへ移動させてみてください。やわらかいエネルギーに囲まれて眠れるでしょう。

46

安心できるパジャマ

寝るときは、安心できる衣類を選んでください。好きな人のお下がりなんて最高です。私は一時、夫の服をパジャマにしていました。山が好きな夫のものには、静かな山々のエネルギーが感じられ、安らぎを得ることができました。

47

寝起きの白湯

寝起きに白湯を飲む習慣は、ご存じだと思います。

ちょうどよいあたたかさで飲むのがおすすめ。一気飲みではなくゆっくりと飲みましょう。新しい水が体に入り、自然と体が動きたくなります。お通じの効果もあります。

48

夏だるい体を救う食材

夏の湿度で体が重だるいようなときは、太陽をたくさん浴びた野菜や果物をいただきます。トマト、キュウリ、アボカド、バナナ、とうもろこし。気持ちも体もフワリと軽くなりますよ。

49

冬重い体を救う食材

冬の硬さ、体の縮こまりを伸ばすには根菜の力を借ります。ごぼう、にんじん、大根、レンコン。土を押しのけてしっかり根を張る野菜の強さを分けてもらいましょう。

50

もやしでむくみ取り

むくみやすくて疲れるとき、おかずはもやしをいただきます。山盛りのにらもやし炒めが食べたくなるのは、たいていむくんでいるとき。もやしは豆から育った賢い野菜で、カリウム、カルシウムもビタミンも豊富。豆の勢いがそのまま残っています。体内のよぶんな水分と塩分を取り除いて、解毒もしてくれます。翌朝はむくみもとれて、すっきり顔に驚くでしょう。

51

もやしの下ごしらえ

もやしをもっとおいしくする秘訣です。ザルに入れてヒタヒタの浄水で洗います。これを何度か繰り返し、30分ほど浄水につけておくと、ふっくらツヤツヤしてきます。特に真夏のもやしは買ってすぐのものでも薬品のようなにおいがありますので、ひと手間かけて召し上がれ。

52

美しいペンの色

ときどき、使うペンの色を変えてみましょう。いつもの黒ではなく、きれいなブルーやグリーンなどで文字を書いてみると、知らないうちに元気になります。

53

メモから直感

考えても考えても、答えの出ない問題を抱えているとき、メモにその問いを書いておきます。書いたらいったん忘れます。そのメモはお風呂やベッドのそばに置いておくといいでしょう。

すると、入浴中にふとヒントが飛んできたり、眠りにつくときにいい考えが浮かんだりするのです。

54

不安をノートに書く

親の老後、自分の仕事、お金の心配、子どもの進学。心にある不安を思いきってノートに書き出してみましょう。

しばらくしてから、実際にその通りになったかどうか、読み返して答え合わせを。ほとんどハズレのはずです。不安の種は育っていないと思います。

それがわかってくると、不安の総量が減ります。

「出ないおばけを怖がるな」

私の好きな言葉です。

55

お箸は多めに

さあごはん！　というときに、お箸がそろっていないとガッカリします。

家族ひとりについて何膳か用意しておくと、忙しくて洗い物がまにあわないときも、すぐに食べられてストレスが減ります。

56

家族のリクエスト献立

「今日、何が食べたい？」の答えには、「家族の体と心が何を欲しているか」のサインが示されています。料理の本をいっしょに見ながら食べたいメニューを探るのもいいでしょう。リクエスト献立は食卓に喜びを生みます。

57

男性の食べもの

男性には鉄分や亜鉛などが女性よりたっぷり必要です。自分自身は菜食中心でも、仕事や部活でばりばり活躍する夫や息子の活力をキープするために、赤身のお肉をときどき食卓へ。

58

イライラにカルシウム

イライラして、人にやさしくできない。話もしたくない。カッとなってしまう。そんなときは、食べ物の力に頼りましょう。必要なのは、カルシウムです。

お豆腐半丁を自分のために週3回。チーズもモグモグたいらげる。小松菜のおひたしにはかつおぶしをたっぷり。

すぐに、本当に、す、ぐ、に、ほーっとやさしい気持ちになっていきます。

59

どん底状態の焼き肉

こんな話を聞きました。

「ものすごく落ち込んでいる友だちを、焼肉屋さんに誘った。お肉を焼いて食べているうちに、どんどん元気になった」

状況はとても深刻だったようです。

でも、炭火でジュージュー焼ける肉を見つめて、焼けたら口に運ぶことを繰り返しているうちに、目に力が宿ってきたそう。

なんとシンプルなことでしょう。食べるという治癒力の前では、なぐさめの言葉は必要ありません。

60

在宅勤務のストレッチ

午前中に一度、午後に一度、仕事の合間に忘れずにストレッチをします。床に座ってしっかり開脚。膝の裏、太もも、上半身、背中、首を気持ちよく伸ばしましょう。

その後はその場足踏みで、足にたまった水分を循環させます。太ももを90度まで上げると爽快です。

たった10分で体も頭もシャキッとすっきりします。通勤がありませんから小まめなストレッチを忘れずに。

61

オリーブオイルで唐揚げ

揚げ物を食べて胃もたれする人には、オリーブオイルで揚げることをおすすめします。あっさりさっぱり食べられて、やみつきになること間違いなしです。プラボトルではなく、ガラス瓶のオイルを使うのがポイント。唐揚げやフライ、春には山菜の天ぷらもどうぞ。

雨の日の煮込み料理

子どものころ、雨の日に母がコトコトと豆を煮ていました。雨の日はあまり出かけませんから、鍋を火にかけておくにはちょうどよかったのでしょう。

あずきをじっくり煮たり、筑前煮、ビーフシチューや煮込みハンバーグなど、仕込みに手のかかる料理も楽しみながら上手に作れるのが、雨の日です。

62

オーガニック豆苗

オーガニック野菜は高くてどうも……と気がひける方は、豆苗《とうみょう》をお試しください。100円程度で求めることができます。水耕栽培ですから無農薬ですし、食べたあと、もう一度収穫できるのもうれしい。

豆から切り離したら半分に切り、固い茎から先に炒めます。葉を入れてオリーブオイルとゴマ油、塩をパラリと、おしょうゆ3滴で香りづけ。疲労回復&美肌効果もある、かんたん万能おかずです。

63

64 お刺身があまったら

お刺身を食べ残してしまったら、晩のうちにフライパンで塩焼きにします。「あしたの朝食には、小さな焼き魚がある♪」と、なんだかワクワクする下ごしらえです。

65 解毒のお茶

疲れたときには、松葉茶（アカマツ）を。解毒効果があります。

中国では古くから「五臓を整える」と重用されている漢方です。真冬でも青々とした葉を茂らせる松は、生命力の強い植物です。

66 野菜たっぷりラーメン

袋ラーメンも、野菜炒めをのせればごちそうになります。もやし、にら、にんじん、玉ねぎ、ピーマン、コーン、きくらげ、豚肉。中華鍋の音も軽やかに、心躍らせ炒めます。たっぷり野菜を入れると、一品でも満足感があります。何より「おいしそうーーー！」と食欲をそそられるのがいい感じ。いつもは無添加にこだわる優等生も、忙しいときはお試しを！

67

「あとひと口」足りないとき

夕飯を食べて、まだ何か足りないというときは、果物やチーズを用意します。おなかがいっぱいなのに食べ足りないと感じるのは、体からの大切なメッセージです。ビタミンCやカリウムやマグネシウム、カルシウムなどを体は正直に欲しますから、果物やチーズやナッツ類を少し食べると満たされます（果物は利尿効果があるので、取り過ぎは寝不足注意）。

68

冷凍庫に西京漬け

冷凍庫に魚の西京漬けやお肉、野菜はかぼちゃ、じゃがいも、白菜、玉ねぎなどの日持ちするものがあると、何かと助かります。買い物に行けないときに、ごはんを炊いて野菜のお味噌汁を作り、解凍したお魚やお肉を焼くだけで、すぐに食卓が整います。

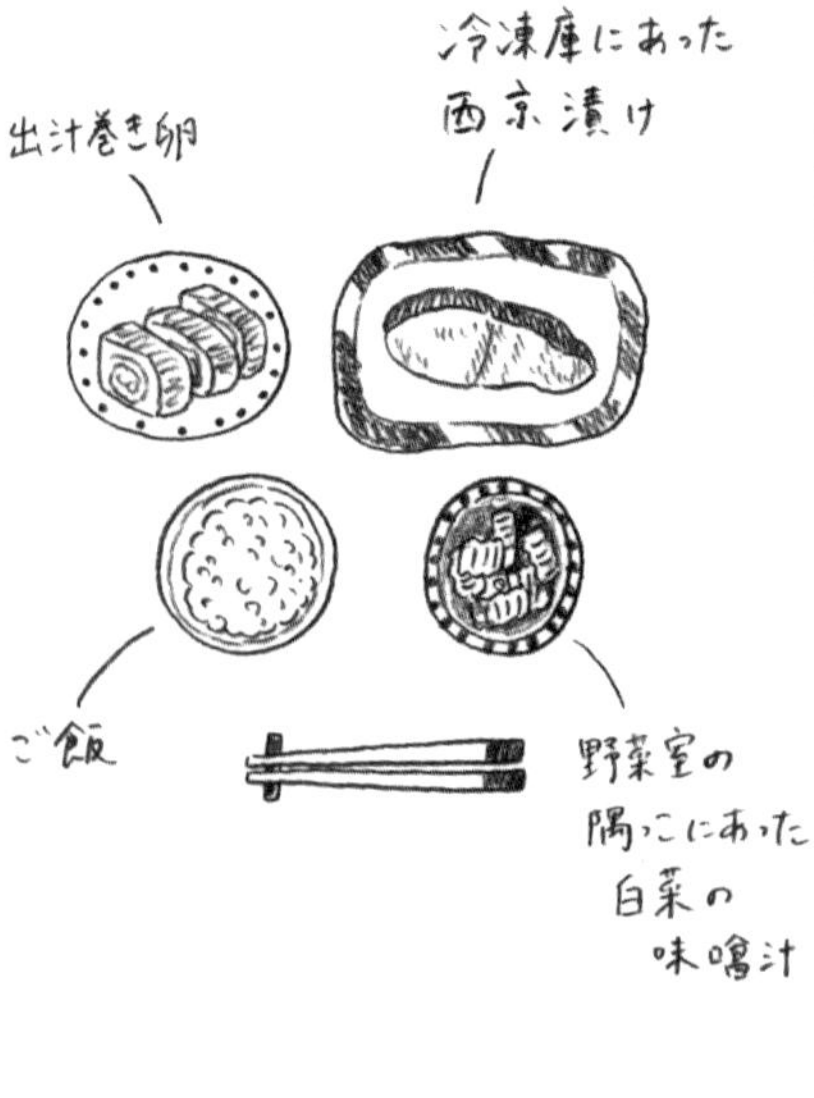

69

文房具を買う日

じっくり選べる余裕のある日に出かけましょう。時間制限がなければないほど、心はずむ出会いがあります。

文房具も日進月歩ですから、ファイルひとつでさえ、日々きめ細かく進化しています。「なんでもいいや」と適当に選んだ書きにくいペンほど、やる気をそぐものはありません。

マグネットや消しゴム、ふせんやテープなども、「ああ、これいいなあ、あそこに使えるなあ、私にぴったりだ！　そうそう！」と、うならせてくれるものに出会いたい。

そうやって満足してお招きした文具は、10年も20年も活躍してくれますよ。

70

大好きなボールペン

悪筆をカバーしてくれる、吸い付くようなボールペンに出会ったときは、「これだ！」と感激しました。

uni JETSTREAM 0.7です。

長年愛用していて、他社製品に浮気ができません。ときどき水で洗ってお手入れします。

71

紅筆でキーボードのお手入れ

キーボードのすき間にたまったほこりは、つまようじでは取れません。メイク用の小さな刷毛が大活躍。特に紅筆は固さも長さもピッタリです。使っていない紅筆があれば、喜んで活躍してくれることまちがいありません。

72

その日に合わせたハンカチ

食事に行くなら、暖色系&柄物で大きいサイズを。膝の上や胸元に使えば、トマトソースが飛んでも安心です。

よく歩く日は、汗をしっかり拭けるタオルハンカチ、赤ちゃん連れには、ガーゼのやわらかいハンカチも必需品。汗や手を拭くハンカチと、膝にのせるきれいな柄のハンカチを2枚持っていくこともあります。

73

車に乗る前にお礼を

乗る前に車に触れて、「いつもありがとうございます。今日も守ってくださいね」と、明るいエネルギーで願掛けします。車に乗ってからもう一度「どうぞよろしく」と言いましょう。雑な気持ちで出発しないのが安全の秘訣です。

帰ってきたらまた「ありがとう」の言葉を。運転手へのお礼も忘れずに。

74

1日1回親切にする

落ちているゴミを拾う、電車で席をゆずる、コンビニの店員さんにお礼を言う。1日に1回、人や物や街に親切にしてみます。

だれかに感謝されることが、目的ではありません。親切にしてみた結果、気持ちが軽くなりやさしくなるのは、自分自身に起こる変化です。

毎日、そういう気持ちで暮らすと、やさしいエネルギーの人でいられます。

75

「本好き」の幸運

本が好きなだけで、あなたの幸せは保証されています。悩んだとき、解決方法はかならず本屋さんで見つけられます。チャンスも本から得られます。

世界中の偉人賢人とつながっている。本好きとはそういうことです。

76

歌いませんか

歌を歌っている人はとても元気です。鎖骨も伸びやかで肺も強く、大胸筋もやわらかく自然とのども開き丈夫な体になります。

体が先か心が先かはわかりませんが、どちらもつながっていますから、歌っているとだんだんと不平不満が消えていきます。

77

かかりつけの鍼灸師

エステでも、アロママッサージでも、整体でも、リフレクソロジーでもいいので、自分に合った「かかりつけ」を持っておくといいでしょう。

体をさわってもらい、滞っているところを流してもらうと、「もうダメ」というところまで落ちません。ギリギリで踏みとどまることができます。

私も月に2回ほど、鍼灸師さんに鍼を打ってもらいます。同じ方に定期的に見てもらうことで、「今日は足がむくんでいますね」「肌が明るくなりましたね」などの指摘をいただけて、生活を見直すことができます。

78

湯たんぽで応急手当

「のどが痛い、風邪かな?」というときに、湯たんぽを胸からのどに置いてあたためてみましょう。寝転んで30分~1時間リラックス。少し熱めで気持ちがいいと感じる温度であたためていると、症状がおさまることがあります。

79

温熱ネックピロー

レンジであたためるあずきの温熱ネックピローもおすすめです。じんわり自然なあたたかさで、何度も使えます。風邪のひき始めに効果抜群です。

80

風邪のあとは寝具を洗う

風邪をひいたあとには、パジャマだけでなく、枕カバーやシーツもまるっと洗いましょう。ふとんもしっかり太陽に干すこと。

無理せずゆっくりと体力を回復させることが大切ですが、寝具を洗うことは、「昨日までは病んでいたけれど、今日から健康な自分になったぞ！」と宣言する儀式のようなもの。気持ちも体のエネルギーも切り替えができます。

病み上がりの体が、お日さまいっぱいよい香り、ふっくら木綿や麻の寝具に、にこにことくるまれますように。

心、体、言葉

口先だけで話をしていませんか？

言葉がうわべだけになっていませんか？

あなたの体はあなたの発する言葉を力強く感じていますか？

それともしょんぼり弱く感じますか？

今日からは体全体で話せる言葉を選ぶようにしましょう。

体はとても賢いので、あなたの迷いや偽りを見抜きます。体をだますことはできません。

81

82

散歩とアイデア

いい考えが浮かばないときは、「楽しそうな町」を歩いてみます。ペンとメモ帳を片手に、アイデアをもらうためだけに歩きます。

町ゆく人の声を聞くともなく聞き、着ている服、笑い声、悩み、夢、希望などを拾い集めます。

ひとつアイデアが浮かんだら、その場でメモを取り、また歩き出します。

下校中の子どもたちの笑い声、さんまの焼けるにおい、石けんの香り。

どんどん歩くと時間が移ろい、夕焼けとともにまた新しい素材やネタがやって来ます。

卵と髪のツヤ

83

髪のツヤを出したいとき、平飼い卵を毎日2個食べてみました。うねりやちぢれが2週間で減りました。

タンパク質を必要な部位に全部届けた残りが、髪と爪にやっと届くのだそうです。末端はいちばん最後なのですね。ですからタンパク質が足りなくなると、爪が割れたり毛が抜けたりしてきます。

卵に含まれる亜鉛は、記憶力も高めます。少し値段が張りましたが、薬やトリートメントに頼らない養生法です。

2日分の大鍋料理

84

「今週は忙しい！」というときは、大鍋料理を用意しましょう。ミネストローネ、おでん、けんちん汁、寄せ鍋、すき焼き、鶏肉と野菜の煮物は和風でもトマト煮でもグッドです。

翌日の分まで作っておけば、どれだけ助かることでしょう！　明日の自分に、ゆとりのプレゼントです。

85

かんたんな料理に愛を

料理に時間をかけたい日はかければいいし、かけたくない日はかけなくていい。おうどん一杯、お味噌汁とおにぎり、梅干しのお茶漬けだってごちそうです。

品数が少なくても、おにぎりひとつ、お味噌汁一品に、愛をこめる。それがけっして「雑」ではないのはわかっていただけると思います。

疲れて料理をかんたんに済ませたい日に、自分の心を優先したら、かんたんな料理が深い愛に変わるのです。

86

食べ物で性格が変わる

肉が大好きで好戦的&勧善懲悪的な思考だった人が、人生の途中からオーガニック野菜中心の食生活に切り替えたところ、気が長くのんびりとした人間になりました。もともと持っていた「心根のやさしさ」は変わらないので、表《おもて》に出る感情の波や思考の癖が変わったのでしょう。どちらがいいというわけでなく、体はもちろん性格も、食べているものによって作られることを実感したエピソードです。

手からお米に伝わる何か

お米を研ぐとき、自分の手からとてもステキな光線（愛の光）が出ているつもりで、触れてみませんか。水を入れたら「ありがとうございます」と両手でお米をすくいあげることを2回ほど。たったこれだけで3日間保温してもくさくならないおいしいごはんになります。

急いでいたりイライラしていたり疲れきったりしたときに炊いたお米は、初日からにおってしまいます。不思議ですね。本当の話です。

87

88

「いただきます」さえ言えていれば

「いただきます」は、目の前の食事はもちろん、森羅万象すべてのものに感謝を伝えるための言葉です。

毎日の言葉で「(あなたの命を) いただきます」と言うことは、なんとすばらしい祈りの習慣なのだろうと、感動します。

日々、食事の前の「いただきます」を通じて、見えない何かに祈りを捧げることができているのであれば、それだけで「あなたの人生はもう大丈夫」と言っていいと思うのです。

まずさわる

掃除とは、部屋をきれいにすることではありません。ものに愛情をそそぎ、ものをかわいがることです。

机を、椅子を、シンクを、床を、まずさわってみましょう。

愛情をこめてさわると、「拭いてあげたい」「磨きたい」「ほこりを取りたい」という気持ちがわいてきます。その気持ちに応じて掃除をすればいいだけです。とても自然なことです。

いますぐできないなら「待っててね、週末拭くからね」と声をかけておけばOKです。

89

90

寝ているあいだ首を冷やさない

朝起きたときに、のどが痛いという声を聞きます。夏ならクーラーで、秋なら気温が急に下がったから、冬なら乾燥した空気でと、結局1年中の悩みです。

そんなときは、寝る前にタオルを首にヨイショと巻き胸元に入れます。こうすると、のどや鎖骨が冷えません。寝ているあいだに暑くなれば、自分でとってしまうので、どうってことありません。

91

集中したいときの魚料理

大切な会議の前、大きな仕事を決めたいとき、締め切りのきつい仕事の前。ぐっと集中したいときは、お魚を召し上がれ。前の日の夕食だけでなく朝食も忘れずに。びっくりするほど頭がよく働きますから。

あじの開き、さんまの塩焼きとかば焼き、紅じゃけの塩焼きとムニエル、さばの塩焼きと西京漬け、ツナ缶のサラダなどなど、かんたんなものをどうぞ。

92

よい目覚めのためのお米

何度か失敗し、試しているうちにわかったことがあります。前の日の夕食のお米を抜いてしまうと、翌朝の目覚めが悪いのです。

天気に関係なく眠くて眠くてしかたがなかったり、まったく疲れがとれていなかったり。以来、お茶碗半分でもお米をいただくようにしています。

炭水化物は脳の栄養と言われているように、お米は眠っているあいだに脳内の掃除をしてくれるようです。

93

しょうがの力

しょうがは1年中大活躍する万能選手です。冬の体をあたためるのはもちろん、夏冷え予防にもよく働いてくれます。疲れたときは料理や飲物に少しのしょうがを。お刺身・煮物・焼き肉・味噌汁・紅茶・お菓子にもしょうがを入れて。紀元前から使われている生薬の力を借りましょう。

94

体の賢者の声にしたがう

紅茶を飲むのが好きです。紅茶は発酵茶で体をあたためると聞きました。そうか、私は冷え性なので納得。

「飲みたいな」という「好きの感覚」は、知識がなくても自分が何を飲んだらいいのか、教えてくれます。体のなかに「あれをしろ」「これを食べろ」という賢い知恵者が隠れているに違いありません。

95

お参りの習慣

1年に1回、決まった場所にお参りしませんか?
「恒例の〇〇参り」は気持ちがすっきりしますし、「今年も来れてよかったね」という喜びを感じられます。

東京・新宿区西早稲田に穴八幡宮《あなはちまんぐう》という神社があります。穴八幡宮では、一陽来復《いちようらいふく》と呼ばれるお守りを、授かることができます(冬至から翌年の節分まで)。

いつのころからか忘れましたが、毎年冬至の夜と新年に「ありがとうございます」と、お参りしています。お守りをいただくと、身が引き締まる思いがします。

そこでみなさんにも提案です。1年に1回、決まった場所にお参りしませんか?

「毎年恒例」の場所に参ることができると、なぜだか気持ちがすっきりします。ある人は、品川教会のクリスマス礼拝に毎年行かれていたそうです。またある人は、奈良の神社に12月の初旬にお参りするのが恒例だそう。近所の神社へ初詣というのでももちろんOKです。

「今年も来ることができた、ありがとうございます」という感謝が胸にわいてきます。お参りとおいしい食事をセットにすると、よりいっそう楽しい「恒例」になりますね。

96

雨の日の着替え

雨の日の出勤、お疲れさまです。小さなアイデアですが、着替えを持参してみませんか。服がぬれてがっかりした気分になったとき、さっと着替えれば心が晴れます。

97

非常食はアウトドアの店で

万一に備え、非常食を用意するなら、アウトドアの店をのぞいてみましょう。お湯だけで食べられる五目御飯、ピラフ、カレー、肉じゃが、味噌汁。「こんなに?」と思うほど種類があります。ストックしておくとふだんの生活で「お米がない!」といううっかりミスもカバーしてくれます。

98

夜の時間

夕食のあと、おいしいお茶をいれて小さなお菓子をいただきましょう。ほんの少しのワインやチーズも。10分でもぜいたくな時間をすごすことが、今日1日がんばった自分へのいたわりとなります。

99

歯磨き中のストレッチ

机の上や洗面台の上に片足のかかとをトンと乗せ、じんわりと膝の裏、太ももの裏を伸ばしていきます。

家族の寝静まった夜なら、ちょっとお行儀が悪くても大丈夫。「歯磨きのついで」なので、気軽に続けられます。かかりつけの鍼灸師さんから教わった、深夜のお助けストレッチ法です。

100

社会貢献

社会貢献とはあなたの心がエンジョイしているかどうかです。エンジョイしてさえいれば、家事も仕事も子育ても社会貢献です。

101

新しい日の準備

新しい学校、新しい職場など、はじめての場所で少しでも笑顔でいられるように、手回り品の準備をしておきましょう。ハンカチやポーチはお気に入りのきれいなものを。新しい靴は、3～4回履きならして、やわらかくしておきます。大切な日が靴擦れの痛さで悲しい思い出になったら残念ですから。

102

ただいま、おかえり

家に入るとき、だれもいなくても「ただいま！」と明るく言います。家や家具や家電という友人に向かってのあいさつです。習慣にすると、家のなかにいつもあたたかい空気が満ちてきます。

103

持ち物すべてに意味がある

いま家にある物には、意味があります。物が多すぎたとしても、何かのかたちであなたを助けてくれたはずです。

・物を多く持つことが悪
・たくさん捨てることが善

という風潮がある昨今ですが、そうは思いません。

104

無視されている物がないか

たくさん持っていても一つひとつに心を配れる人もいれば、少量の物と仲良くするのが心地よい人も。その人に適した「持ち物の量」があるのです。あなたが気持ちよければ少ない物でスッキリ暮らせなくてもOKです。ただ、家のなかに無視されている物や存在を忘れられている物があるのはよくないことです。心にゆとりがある日に、「無視されている物はないかな」と考えてみましょう。

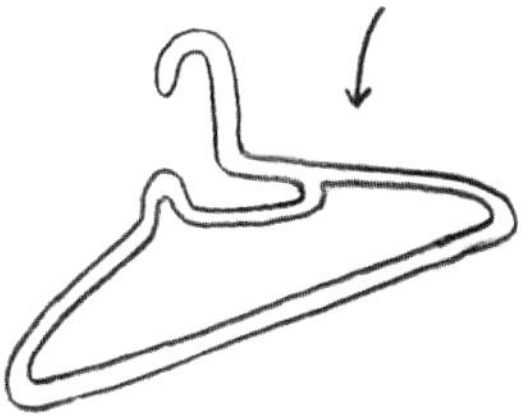

105

ハンガーを買う

長らくハンガーを探していました。やっと出会えた無印良品のハンガーが、私の生活に光をくれました。

肩のラインが崩れず、厚みも取りすぎないプラスチック製です。Ｔシャツのエリが伸びない工夫までされたすぐれもの。はじっこの手当たりが最高で、丸みがあって手のひらに吸い付きました。ヨイショ！と背伸びして洋服をかけるとき、とても気持ちがよいのです。

作り手が愛情をこめてつくったことがよくわかります。

ハンガー１本で、小さなご機嫌がずっと続くのですから、なんとありがたいことでしょうか！

106

友情を感じられるものを買う

買い物するときに大切なことは、友だちになれそうかどうか、その1点だけ。買おうとしている服や物に友情を感じられないなら、どんなに必要だと思っても、買わないほうがよいでしょう。

107

新しいものにあいさつを

新しくうちに来てくれた仲間には、「よく来たね」「よろしくね」とあいさつしましょう。物にも愛情は伝わります。

108

さわって買う

衣類もお皿も実際に手で触れてみると、仲良くなれるかよくわかります。「うちに来る?」と聞いてみて、よい返事が聞こえたような気がしたら、連れて帰りましょう。この方法で買い物の失敗がほぼなくなるはずです。

キャンプ用品を暮らしに

アウトドアの店には、ほほう！と思う便利グッズがたくさんあります。たためるコップ、携帯ナイフ、折り畳み椅子……目移りしてしまいます。
「小さくて便利」「軽くて丈夫」「耐久性があって長持ち」「薄くて暖かい」など、機能を極め尽くした小物たちです。「なんだ！ここで買えばいいのか！」という発見を、楽しんでみてください。

109

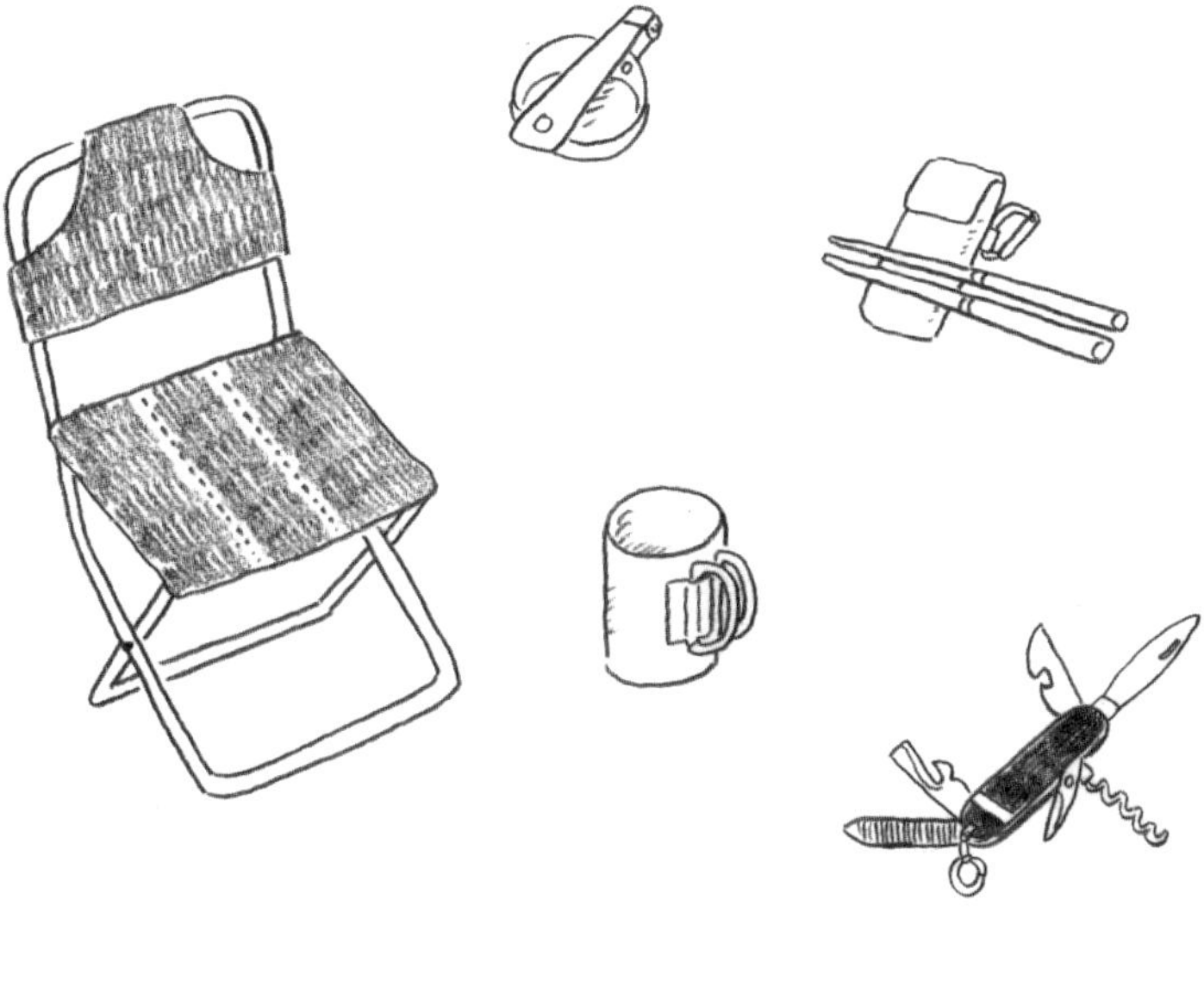

110

幸せな寝床の作り方

ベッドに入るとき、「きゃあ♪」と喜びながらもぐりこみます。

「うれしい、幸せ、大好き、あったかい」と最高に喜んでふとんをたぐりよせます。そうするとふとんのなかに、目には見えない何かが残っていきます。毎日の小さな積み重ねで、テンションの上がる「幸せな寝床」ができます。寝具店生まれの私が言うのですから、だまされたと思ってやってみてください。

きゃあ♫

111

近所の美術館

美術館を選ぶとき、まずは家の近くにある美術館に行ってみませんか。たまたま近くにあるということは縁があるということ。郷土資料館や記念館、小さなギャラリーでもいいでしょう。

112

デパートは美術館

美術館に足を運べないとき、デパート（私は伊勢丹新宿店が好きです）をひとまわりすると、アート作品を観たあとのようないいエネルギーを充電できます。

美しいルネ・ラリックのガラス、洗練された北欧家具、遠い外国で手作りされたラグ。食器売り場もタオル売り場も気持ちのよい空気が流れていて、まさに眼福です。

113

いつか行きたい美術館リスト

遠くの美術館で行きたいところがあれば、ノートに記しておきましょう。未来の楽しみ、旅の目標ができます。

美術館の近くのおいしいレストランや雑貨屋さんの情報もメモ。近場に温泉があれば最高ですね。「いつか行きたい美術館ノート」は、開くだけでワクワクしてきます。

114

お金のかからない趣味

暮らしのなかに、「楽しいこと」「好きなこと」をどんどん入れていきましょう。まずはお金がかからない楽しみを探してみます。

趣味がほしい、習い事をしたいと思っている方は多いのですが、最初から気合いを入れすぎると疲れてしまいます。お値段安め&近所で探してみましょう。

公民館でおこなわれている華道、書道、押し花など各種教室、映画鑑賞、味噌づくり体験、話し方セミナー、英会話教室などなど、ちょっと検索してみれば、教養を高める勉強から体力づくりまで、ワクワクするほど幅広くそろっているはずです(母は一時期、近くの公民館で太極拳を習っていました)。

図書館で好きな本を好きなだけ借りる贅沢や、地域スポーツセンターでの筋トレ、市民プールで思う存分泳ぐこともおすすめ。どれも無料から数百円で利用可能です。

まずは、心軽くスタート。いやならやめればいいのです。入会金もありませんから。

115

新宿御苑

新宿御苑でしばし寝転がった帰り道に整体に行きました。すると整体師さんがひと言「今日、体が強いですね」と。上から太陽、下から大地、横からは緑。パワーをたくさんもらったのだと思います。

第1章

生活を明るく

116

年に4回のデトックス

二十四節気のなかでも、春分、夏至、秋分、冬至の4つの暦には、「解毒、放出、脱皮」といったデトックスの要素を感じます。

春分、夏至、秋分、冬至の時期に、風邪をひく、熱を出す、ひどく眠くなる、足腰を痛めるなどの心当たりはないでしょうか。

体の症状とともに、「大掃除したい！」「物を捨てたい！」といった暮らしの衝動が訪れます。これらは、自然にかなった前向きなものです。

春分は、芽吹きの力を借りて、不要物を排出する。

夏至は、太陽の力を借りて、湿っぽくて陰気なものを捨てる。

秋分は、落葉樹のように、老廃物を脱ぎ捨てて身軽になる。

冬至は、星空を見上げて、仮面を取り、本当の自分を思い出す。

季節が誘う出来事は、このように、前向きです。「風邪ひいてダメな自分」「腰の痛いNGな私」ではなく、「風邪ひいて免疫が強くなり一皮むけた自分」「腰痛から生活ペースや悪習を見直した自分」と、前の季節よりも、バージョンアップできたことを喜びましょう。

117 置手紙で事前告知

「今日は会議で帰れないな」

「締切前で9時過ぎまで残業だ」

　そんな日はいくらでもあります。あなたが夕飯担当ならば、作り置きなどで無理することなく「事前告知」さえしておけば大丈夫。短くシンプルに事情を伝えると、みんなあっというまに理解しますので、メモを置くのがおすすめ。

「木曜日、夕食作れません。外食してください」「月曜日、会議のため帰宅が22時過ぎます。夕飯は各自で」

　これだけでじゅうぶんです。子どもと出前を頼んだり、ファミレスに行ったり、腕に覚えがあれば自分でお肉を焼いたりもしてくれます。突然伝えると「ええ？」となりますが、あらかじめ伝えておけば、心に余裕もでき、楽しいプランが生まれそうです。

118 「ご機嫌」を流れに組み込む

朝起きて、朝ごはんとお弁当をつくって、子どもたちを送り出し、後片づけをして、仕事へ。夕方、スーパーに寄って買い物をして、帰ってすぐ休むまもなく夕飯の用意。どんな人にも日々の基本的な「流れ」があり、やらなくては生活がまわらないという事柄で満ちています。

その流れのなかに、ぜひ「超楽しい」「超ご機嫌になれる」「ワクワク」を組み込んでみてください。やるべきことで精いっぱいなのに、とても時間が足りない、と思われるかもしれませんが、大丈夫です。「ご機嫌注入」により、流れるプールのスピードがアップします。すごくいい気持ちで生活の流れがよくなりますよ。

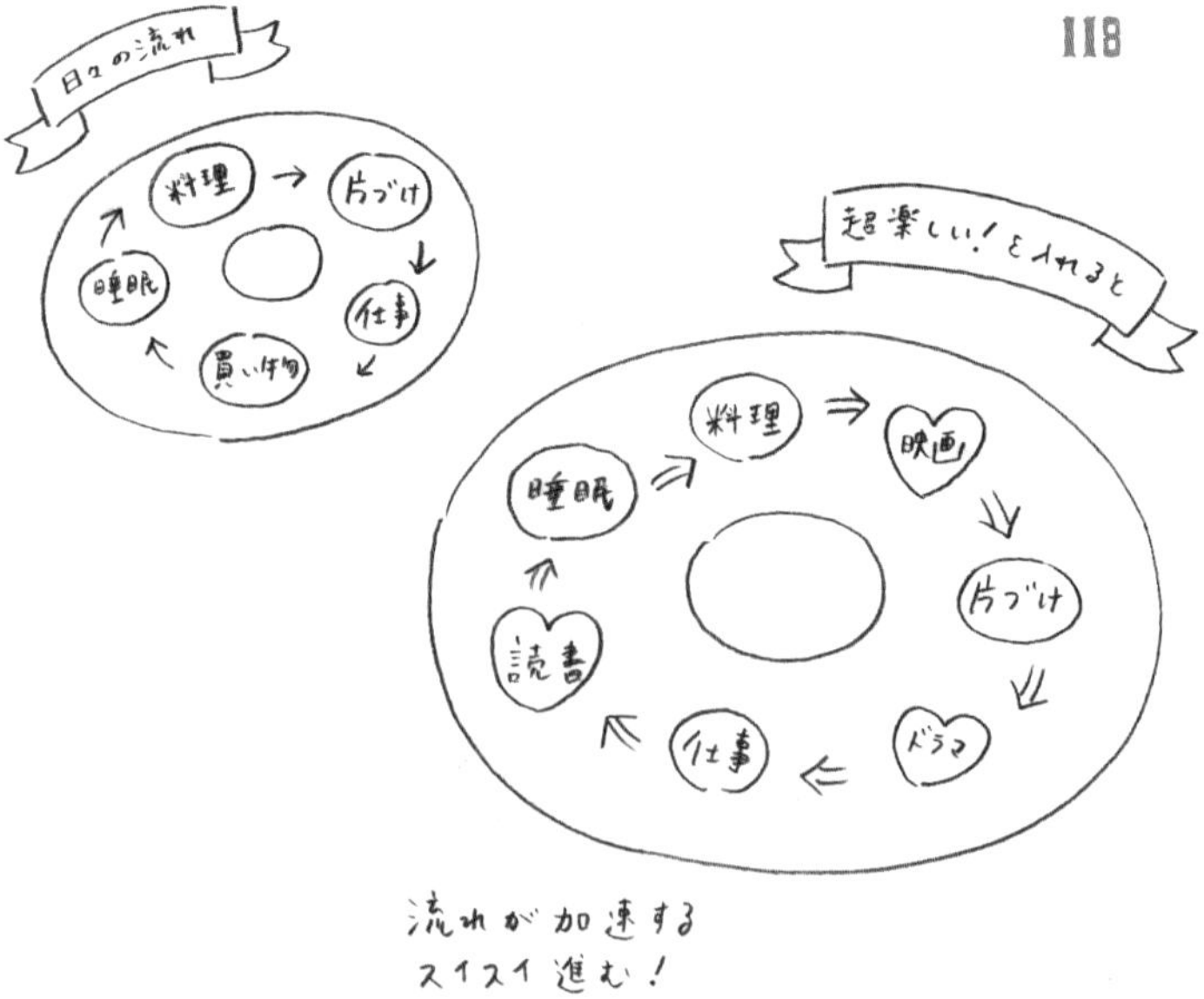

119

「いま」にお金を使いましょう

この世には、巻き戻せないものがあります。時間、年齢、体力、機会です。どれもあとからお金で買うことはできません。お金は「いましかできないこと」に使いましょう。

いましか観れないもの。公開中の映画や展覧会、バレエ公演、コンサート、観劇。

いまやるからうれしいこと。誕生日に花を贈る、結婚祝いを贈る、家族そろっての外食、多忙な友だちとお茶をする。

いま買ったら役に立つもの。キッチンスライサー、リモートワーク用の椅子、湯たんぽ、大判のカシミヤのストール。

いま学びたいこと。語学の勉強、各種講座。

いま会いたい人に会う。ふるさとの両親、遠くに住む友人。

やっておけばよかった、見ておけばよかったと後悔することのないよう。いつか「やっておいてよかった!」「行っておいてよかった」「会っておいてよかった」と、大きくうなずけるように、「いま喜ぶお金」を使ってみましょう。

120

「好き」がわからない人へ

「好きなものがありません」という悩みを、よく打ち明けられます。

恋愛感情や趣味嗜好だけが「好き」だと、決めつけていませんか?

「好き」はとても範囲が広く、無限にあります。

以下に「好き」の例を羅列してみました。あなたのなかにある「好き」を見つけるヒントにしてもらえればうれしいです。

【形ある好き】

物(靴、香水、かばん、音響機器、自転車、服、着物)

人(家族、恋人、友だち、おじいちゃん、おばあちゃん、赤ちゃん、店員さん、仕事仲間)

動物(犬、ネコ、馬、うさぎ、鳥、爬虫類、昆虫)

場所(山、海、公園、家、草原、森、湖、竹林、カフェ、図書館、車のなか)

【形のない好き】

仕事、家事、ドライブ、キャンプ、スポーツ、絵、観劇、楽器の演奏、読書、食べること、寝ること、夕焼け、夏のにおい、雨上がり、親孝行、ひとりでいること、走ること、朝の散歩、大勢でワイワイ飲むこと、挑戦すること。

やさしくするのが好き、笑うことが好き、泣くことが好き、尊敬されることが好き、冒険が好き、人に喜ばれることが好き。

自覚のない「好き」があなたのなかにもあるのではないでしょうか。ひとつ「好き」がわかると、次の「好き」が見つけられます。

自分の中にある
いろんな「好き」を発見♡
Run

121

運動する暇がない人へ

　ある女性の話です。日々、仕事と家事の両立で運動時間がとれない毎日を送っていました。そこで、自宅と最寄り駅のあいだだけでも、と毎日走ることにしたそうです。

　走るといっても小走り程度。膝裏を伸ばした早歩きを心掛けました。

　ほんの６００メートルほどの往復を、毎日毎日、休まず走り続けた彼女は、60歳になったとき、念願のヒマラヤ登山シルバー隊に参加し、見事に登頂されたそうです。

　彼女のトレーニングは、「通勤時に走る」、たったそれだけでした。

　夫から聞いたこの実話に、ため息がもれました。はあ〜！　さあ、みなさんも、やる気が出ましたね！

122

エレガントな仕草

　友人とカフェに行ったとき、花柄にレースが縁取られた美しいハンカチを、彼女がふわりとひざにかけました。そのにおいたつような仕草が忘れられません。

　ハンカチ１枚広げただけなのに、かばんから取り出すときの指の先まできれいで、花を見ているような気持ちに。美しい仕草は周囲の人を幸せにするのですね。

123

さみしい日に白熱灯

白熱灯の素敵な電気スタンドを買いましょう。大きすぎず小さすぎないものをテーブルの上に置きます。物悲しい秋の日や雨の昼間に灯りをつけると、部屋がふんわりやさしい空間になり、心があたたまります。

124

便利グッズにさよなら

買ったときは「いいかも！」と思えた5連ハンガーやベルトかけ。突っ張り棒を駆使した収納も、ライフスタイルや服の好みが変わるうちに使わなくなっているかもしれません。いまの自分と仲良くなれないなら、さよならしたほうがいいでしょう。

125

ダブルウォールグラス

一度使ったら手放せないのがダブルウォール（二重壁）グラスです。空気の層が断熱材の役割をします。冷たいものは汗をかかず、あたたかい飲物は冷めにくく、食洗器も大丈夫。デザインも洗練されていて、何もかもが理想のグラスです。（デンマーク　ボダム社）

126

大人の習い事選びのコツ

「①好き、②楽しい、③やらずにはおれない」の三本柱を極める。つまり、大人の習い事では、苦手なことに向き合う必要はありません。

料理が苦手だから料理教室、字が汚いから習字教室、飲めないのに教養のためのワイン教室などは、お金と時間の無駄づかいです。

ノルマや義務にならないもの、習うとご機嫌になれるもの、ずっと続けていきたいものをどうぞ。それは、あなたが生まれつき持っている魅力的なキャラクターを引き立てることにつながります。

127

ゆるゆる続ける

習い事や勉強を、続けられないという方へ。「毎日○時間やる」と習慣化しようとしていませんか？　習慣化やノルマ目標を立てると、その反動でできないときに投げ出したくなります。

行ったり行かなかったり、少し休んだり。それでいいんです。

60歳から英会話を習い始め、ゆるゆる続けて15年という知り合いがいます。途中2カ月休んだこともあったけど、「まあ、いっか」と思えたから長く続けられたそうです。

幼少期から始めた剣道のお稽古に、行ったり行かなかったりしていた人が、いまでは有段者になり子どもたちを指導しています。

本当に続けたいことは、ゆるく楽しく取り組むのがいいのです。

128

家具の選び方

においをかぎましょう。デザインや色が気に入っても、においが気に入らないということがあります。においは、あなたにとって安全かそうでないかを教えてくれるすばらしいセンサーです。

129

椅子が大事

テレワークが増えました。食卓の椅子で急場をしのいでいたと思いますが、いよいよ「家で仕事」のライフスタイルが確定したら、いちばんはじめに椅子を買いましょう。

座面の高さや奥行き、背もたれなど、実際にたくさん座りくらべてください。椅子を間違うとあっというまに腰痛です。椅子が合わないだけなのに、仕事の自信までなくなってしまいますから。

130

寝室だけは物を少なく

リビングや子ども部屋は物が多くても散らかっていても楽しいものですが、寝室だけはなるべく物を少なく、すっきりと片づけましょう。物が少ないと気が休まりますし、地震が起きても安全・安心です。

131

コードレス掃除機

小さいサイズが一台あると重宝します。車のお手入れには特におすすめ。車中のほこりを軽々と吸ってくれます。

132

シーツは肌ざわりを確かめて買う

シーツや枕カバーなど、眠るときに肌に触れるものは、オーガニックコットンや麻、ガーゼを選びましょう。最近は安くていいものが増えてきました。

買う前にはかならず手で触れてさわり心地を確認しましょう。かたく感じないか、チクチクしないか、ジリジリした感じがないか。ずっとさわっていたいなと感じたらOK。最後の決め手は香りです。おかしなにおいがしなければ大丈夫。よい買い物になりましたね。

133

賢い大人買い

すごく気にいったものに出会えたら、ふたつ買っておきましょう

さわり心地がとろけるタオル、オーダー並みの履き心地のスニーカー、美しい泡が立つビール専用グラス……。

もちろんお財布と相談してからですが、よい出会いがそうそうあるわけもなく、「あのとき買っておけばよかった」と、たいてい思うものです。

134

イメージウォーキング

実年齢よりマイナス10歳になったつもりで、歩いてみましょう。
50歳なら40歳の自分。
40歳なら30歳の自分。
30歳なら20歳の自分。
10年前の自分だったらこんな感じ♪と「思い出し歩き」をします。
自然とおなかがへこんで背筋が伸び、軽々と歩いていけます。

135

40代までに好きな運動を見つけましょう

50歳を過ぎると体のあちこちに不調が出てきます。「手が痛い」「足が動かない」「よく眠れない」。不調が出てから運動を始めるよりも、40代のうちに好きな運動を見つけておくと予防にもなります。
自分の好きなことならなんでもいいのです。テニス、ウォーキング、ヨガ、ダンス、ジョギング。毎日でも週に1回でも月に1回でもOKです。

136

キッチン用品は長く付き合う

冷蔵庫30年、菜箸30年、鍋30年の付き合いです。持ち手の焦げたお鍋や、角がとれて短くなった菜箸がかわいくてたまりません。いまでもじゅうぶん役に立ち、時折なでていると、つやが出てきます。

「もう買ってずいぶん経つから」「古いから」という理由で、買い替えなくてよかった。長年の友人のようにいっしょにいると幸せです。

137

掃除の波

あなたの体のなかに、「掃除をしたくなる波」がありませんか。

春分・夏至・秋分・冬至などの近くで急に掃除をしたくなったり、女性の場合は月経前や月経中に掃除をしたくなったりなど、掃除をしたいなと思う本来のタイミングがかならずあります。

新月・満月などの月のリズムでも掃除をしたくなることを感じますし、いいお天気やスカッと晴れた青空で、掃除をしたくなることもあるでしょう。

その波に素直にしたがっていると、家は自然と整います。

「毎週末は掃除をする日」などと苦しいルールをつくらず、体からわき起こる衝動に合わせましょう。

ひとり時間ボーナス

仕事、子育て、親の介護で忙しく、1日10分程度すら自分の時間が取れない人もいます。そんな人は、数年に一度でもいいので、どかんとひとり時間ボーナスをもらいましょう。

138

子育て中に、3回ほどひとりでホテルに泊まったことがあります。子どもが6年生のとき、中学生のとき、高校生のとき。思えば3年に1回の周期だったようです(笑)。

不満がたまったとか、イヤなことがあったとか、夫とケンカをしたとか、そういうことではなく、ただただ「自由」になりたかった。「好きな時間にごはんを食べたい! 好きな時間に寝て好きな時間に起きたい! だれにも気兼ねせず本を読みたい!」。親でも妻でも会社員でもなく、ひとりの人間に戻る日を欲していました。

ホテルに泊まったあとは、日常から離れたことでかならず新しい発見があり、日常をもっとよくすることにつながりました。

知り合いの保育士さんは「一泊は無理だけど、1日ならできた!」と教えてくれました。ひとりでランチしてお茶して散歩して。やはり人間に戻る日になったようです。

139

ツヤ感のある服を買う

服を買うときは、ツヤツヤしている服を買ってみましょう。テカテカ、ペカペカ、ギトギトを避けて、フワリ、トロリとした静かなツヤのものを選ぶのがコツです。シャツもニットもジャケットも、紡ぎのよいものは自然に光り、着る人を引き立ててくれます。

140

試着するまでわからない

いいなと思って着てみたら、なんだか着ぶくれして見えたり、色が顔に映えなかったり。きつい、ゆるい、長い、短いなどなど予想外のことに直面するものです。Tシャツなどでも、試着できるならまずは面倒がらずに着てみましょう。

141

背が伸びる感覚

相性がいい服は、着た瞬間2センチくらい背が伸びる感じがします。ほっぺに赤みがさして、あたたかくなるはずです。

理由を並べる必要があるなら

試着した瞬間、「1枚あったら便利だから」「会合に着ていく服がないから」など、頭が理由を考え始めたら、その服はやめておきましょう。心が「ん?」という疑問を感じているのに、頭で打ち消して買い物すると後悔します。いい買い物にもっともらしい理由はいりません。「好き! 家に連れて帰りたい!!!!」。そう思わなければ棚に戻しましょう。

142

ほんとうのやさしさ

ほんとうにやさしい人は、机に対しても、まな板に対しても、壁に対しても、鉛筆に対しても、ノートに対しても、やさしいのです。

コンビニの店員さんにも、新しく入った後輩にも、厳しい上司にも、やさしい振る舞いができるのです。

笑顔も言葉も声も、やさしいのです。

王の前でも乞食の前でも、態度が変わらない。自意識の出ないやさしさ。

それがほんとうのやさしさなのだと思います。

143

コラム・季節の言葉 春

3月

・ふきのとう

春が近づくと、雪の合間にひょっこり顔を出すふきのとう。古くから食べられてきた日本原産の山菜ですから、春に必要な滋養がたっぷりです。下ごしらえをていねいにして、ふきみそ、天ぷら、佃煮、炒め物。春の味をどうぞ召し上がれ。

・目頭熱い3月

卒業、巣立ち、引っ越し、転勤、転職、異動。

だれかがいなくなることも、だれかが成長することも、喜びと切なさが混じります。「ありがとう」という言葉と「さみしいな」という言葉がたくさん。3月だけで何回泣くのでしょう。毎週じーんと涙ぐんでいます。

・春分「私、何かをやりたいの」

自然界も春の到来に活気づき、あらゆるものが上昇エネルギーに満ちています。つくしやチューリップが、空に向かってグングン伸びるように、空気中には上向きなエネルギーがいっぱい。人もそのエネルギーにおされて顔を上げ、背筋をピンと伸ばして、深呼吸をしたくなります。

「何かをやりたい、始めたい」とワクワクする気持ちがわいてくるでしょう。特にこのころは「手」を使いたくなります。手の先までいい空気が届くように、深い呼吸を心がけるといいでしょう。

4月

・新しい出会い

2種類の人がいます。新しい人や出会いにワクワク胸を躍らせる人（犬タイプ）。新しい場所やはじめて会う人が苦手な人（ネコタイプ）。ネコタイプの人にとって、4月はちょっと憂鬱かもしれません。でも大丈夫です。犬タイプがかならず話しかけてくれますから。「お名前教えて」「どこに住んでるの?」と。ワンワンワンワン。

・花粉症の季節

花粉症を少しラクにするコツです。
・白砂糖を減らす
・マーガリンや添加物を減らす
・お菓子と菓子パンを減らす
・お酒を減らす
・食用油をオリーブオイルに変える
我が家で実践したところ、夫が目をゴシゴシすることが減りました。

5月

・深呼吸の月

5月の木漏れ日は格別です。新緑の青々としたざわめきが、まさにご機嫌な季節。
1年でいちばん空気がおいしい時期

なので、ぜひ散歩を楽しみましょう。緑のなかで大きく深呼吸を。成長している草木の新しいエネルギーが、体いっぱいに満たされるように。

・晴れの日に気がつく

洗濯物を干していたら、靴下やお気に入りのTシャツ、20年現役のタオルが、本当に長く使っている宝物だなあと、胸がフッと深呼吸をしました。

いい感じにくたびれていて、ますます愛おしい衣類たち。やわらかな気持ちで長年の友の存在に気づけたのは、5月の青い空と陽光のおかげです。

・子どもの日

都会を少し離れれば、大きな鯉のぼりが空におよぐ風景を、まだまだ見ることができます。

そうか子どもの日だね、あの家には男の子がいるんだね。たたんでおいた鯉のぼりを広げるとき、毎年ワクワクしているんだろうなと、こちらまで明るい気分になります。

さて、私もお茶をいれて、柏餅でもいただきましょうか。

・新緑とバッハとミネストローネ

5月、ミネストローネの仕込みが、バッハとよく似合って、トントントントンはかどります。木々がのびのび育つ「聞こえぬ音色」を表わしてくれているような気がします。

ミネストローネに最適

ブランデンブルク協奏曲第5番
ニ長調 BWV1050 第3楽章

第 2 章

子どもの手当て

144

背中とんとん

子どもが泣いているとき、うまく眠れないとき、背中をとんとんしてあげましょう。手から愛が出ているイメージで。やさしく、あたたかく、とんとん、とんとん。

145

しょんぼりした日のおにぎり

娘が小学生のころ、学校から帰ってきてしょんぼりしていると、おかかおにぎりを作っていました。「大丈夫だよ」「愛してるよ」という気持ちをこめて、ぎゅっぎゅっとにぎります。

何か言葉をかけるわけではありませんでしたが、しばらくすると笑顔がもどったものです。

146

「ただいま」「おかえり」からの5分

学校から帰ってきた子どもを迎えた瞬間。もしくは仕事から帰ってきた親を子どもが迎えてくれた瞬間。1日の報告を聞く大切なタイミングです。

子どもが帰宅してすぐ、あなたはどんな言葉をかけていますか？

「ほら！ またコート脱ぎっぱなし！ 靴をそろえなさい！ 水筒出して！」

そんなふうに小言をまくしたてていませんか？

耳が痛い方、大丈夫です、あるあるですから（笑）。

でも、もしかしたら、お子さんは、

「お母さん、聞いて聞いて！ 今日図工で絵を描いたよ。上手に描けたよ！ 体育で転んじゃったんだ、でも泣かずに走ったよ。今日帰りにヤモリを見たよ！」など、話したいことで胸をいっぱいにふくらませて帰ってきているかもしれません。

お母さんが怒っていると、うれしくふくらんだ気持ちも消えてしまいます。

たくさんのすてきな報告をつぶしてしまうのはもったいない。だから、まず笑顔で「おかえり♡」。自分のほうがあとに帰宅する場合も、やっぱり笑顔で「ただいま♡」。そこから5分だけ、子どもの話を聞きましょう。小言はそのあとで。

困っているのは親のほう

汚れたら困る。

遅れたら困る。

散らかっていると困る。

言うこと聞かないから困る。

片づけられないから困る。

「箸の持ち方が変」で困る。

大学行かなかったら困る。

147

困っているのは親だけで、子どもは全然困っていません。「将来のため」と親は思いますが、子どもが大人になるとき、いまとは職業も法令も制度も政治もガラッと変わっているはずです。

子どものすてきな未来を信じて、見守ってあげませんか。

そのままの姿をやさしく見守られた子どもは、将来「困らない大人」にきっとなりますから。

148

「躾《しつけ》の言葉」を美しく

躾とは何かのルールを強制することではなく、美しい生き方を目指すことだと思います。

「身を美しくする」という漢字です。美しさは内面や毛穴や言葉からにじみ出るものです。

そこで、ちょっと振り返ってほしいのです。「箸を正しく持ちなさい」「靴をそろえなさい」というときの親の言葉は美しいでしょうか。思いやりに満ちていますでしょうか。

躾の言葉が美しければ、子どもは、心も仕草も美しい大人に育つでしょう。

149

絵本の世界へ

図書館でたくさん絵本を借りてきて、親子で読んでみませんか？　大人にも発見が多く、本からたくさんの愛のエネルギーをもらえます。何度も読みたいお気に入りの1冊が見つかったら、本屋さんへ。「絵本を買う」という体験も、とてもすてきなものです。

150

いっしょに夜空を見上げる

満月の日、三日月の日、半月の日。木星や金星がきれいな日。流星群の日。晴れた夜は子どもといっしょに夜空を眺めませんか。並んで空を見ていると、ケンカしがちな親子でも、不思議と気持ちのわだかまりが消えます。

お団子なんか買っておくと、お月見気分が盛り上がって、楽しいものです。

第2章
子どもの手当て

151

仮病ではない

朝、体調が悪くて保育園や小学校を休んだ子どもが、昼前にケロリと元気になることはよくあります。それは仮病ではありません。回復がとても早いので、仮病に見えてしまうだけ。「ママ薬」「パパ薬」がよく効いたということです。

152

子どものおこづかい

年齢にもよりますが、あまりに少ないおこづかい額はおすすめできません。中学生は、アルバイトもできませんから、頼れるのは親だけです。ほしい本があるかもしれません。飲んでみたいジュースもあるでしょう。週末に友だちと遊びに行けば、交通費もお昼代もお茶代もかかります。

友だちと仲がいいからこそ元気に遊ぶわけで、健全な必要経費だと考えていいでしょう。

経済感覚を育てる

おこづかいは自分で管理させ、さらに日ごろから「足りないときは言ってね」と、信頼の声かけをしておきましょう。それだけで無駄づかいをしなくなりますし、何かあったときに、親に言いやすくなります。また「不足感」がないので、経済感覚が健全に育つのです。

多めにわたしても心配は無用です。不良になることも、浪費家になることもありません。むしろ賢くなります。

最初は無駄づかいをするかもしれませんが、しっかりと学んで好きなもの・好きなことにお金を使うようになります。知人の中学生の息子さんは、最初はペットボトル飲料でおこづかいが消えていたのですが、そのうち本やマンガを買うようになったそうです。

153

学校に行きたくない

学校に行きたくないと言われたら、「よくぞ言ってくれた」とほめましょう。「うんわかった。お休みしよう」と即答しましょう。

そのあとで、子どもの話に心から耳を傾けます。「そうかそうか。それはしんどかったね」と、ハグしてあげてください。

子どもの言葉は本気です。批判や説得はご無用です。お母さんやお父さんが寄り添うだけで、子どもは癒されていきます。

お母さんもそうだったよ。

お父さんもそうだった。

いまでも会社に行きたくない日、あるよ。

人間は機械じゃないから、先生も友だちも、学校お休みしたい日あるよ。みんないっしょだね。

「お母さんが話を聞いてくれた」と、子どもの心に愛情と喜びと信頼が満ちていきます。

あとはゆっくり少しずつ。子どもに任せましょう。

154

第2章
子どもの
手当て

155
たまたま「近所」にあった何か

子どもが学校（幼稚園・保育園）以外の楽しみを見つけるのは、とても大切なことです。「家の近所にたまたまある何か」がヒントです。

ピアノ、書道、そろばん、囲碁、将棋、お絵描き、プール、体操、料理などの各種教室、電車が見える鉄橋（電車好き）、消防署（働く車好き）など、たまたま近所にあるスポットと「子どもの好き」がリンクしていませんか。

大人になってその道で活躍する人たちは、「たまたま近所にあって」とよく言います。この偶然が「縁」なのですね。

156
子どもの「好き」を言葉にする

子どもが夢中でやっていることや好みのものがあれば、

「○○ちゃんは、これが好きなんだね」

と言葉にしてあげましょう。ひとつ「自分の好き」がわかれば、次の「好き」を見つけられます。

「青い色が好きなんだね」

「絵を描くのが好きなんだね」

「電車が好きなんだね」

「ネコが好きなんだね」

ぜひうれしそうに伝えてあげましょう。子どもの好きを見つけた大人が喜んでいるならば、さらに自分の「好き」が増えていきます。

157

おかあさん・おとうさん美容院

「おかあさん（おとうさん）美容院だよ」と言って、お風呂でシャンプーをしてあげませんか？

「かゆいところないですか？」

「お湯の温度はちょうどいいですか？」

頭をさわってもらえるうれしさ、「ごっこ遊び」の楽しさで、愛情たっぷり満たされるお風呂時間になります。

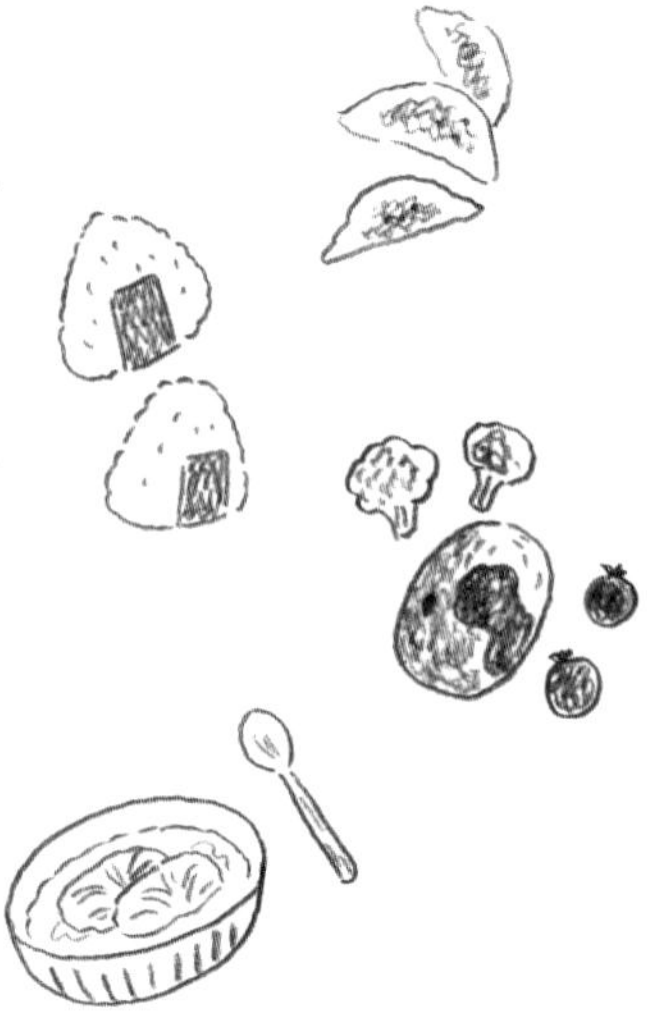

愛情が伝わる料理

「子どもに愛情が伝わりやすい料理はなんですか?」と聞かれました。

ずばり「手のなかで丸めるもの」です。

子どもがハンバーグを好きなのは、作る人の手でお肉を丸めるから。

子どもがおにぎりを好きなのは、家族の手で「おいしくなあれ」とにぎるから。

餃子も、ロールキャベツも、手で時間をかけて、一つひとつ包んでいくから子どもたちの好物なのです。

158

偏食をゆるす

嫌いなものを無理に食べさせたら、無理に人に「何かしなさい」という大人になってしまいます。

学校給食で完食を称えることもあるようですが、「残していいよ。悪いことではないよ」と伝えて、子どもの心を守りましょう。

159

160

子どもの心を軽く見ない

子どもの心が体に比例して未熟だろうなんて、思わないでください。むしろ子どものほうが、本質をとらえていることさえあります。

言葉を知らないから表現力は乏しいかもしれませんが、だからと言って、子どもの心をなめてかかると、驚くことがあります。

一つひとつの言葉や訴えを、大切に扱いましょう。子どもだからと軽んじて聞き流すことのないように。心の重要度は大人と同じです。

161

恋愛中の子どもが悲しんでいたら

子どもが恋の悩みを抱えていたら、

「今日は雨でも明日はきっと晴れるよ」

となぐさめてあげましょう。

失恋してしまったようなら、

「もっとすてきな人との出会いが次にくるから大丈夫」

そんな言葉でもいいかもしれません。

「あなたなら大丈夫」「かならず多くの人に愛される」

思春期だからこそ、こちらからはストレートな愛の言葉を伝えてあげてください。

162

海へ行こうか

海が好きな子を知っています。

波とたわむれたり、貝殻を拾ったり、遠くに浮かぶ船を見たり。朝から出かけて砂浜で遊んで、途中でお昼を食べてまた海に戻る。1日いても飽きません。

数カ月に一度「海へ行こうか」と連れ出すそうです。子どもが海で充電しているのがわかるから、とお母さんは言います。小学生の女の子のお話です。

163

気の合う親戚

祖父母、叔父や叔母、いとこのお兄ちゃん。親戚のなかに、お子さんと気が合う大人はいませんか?

ある男の子は祖父が大好きで、いつもひとりでおじいちゃんの家に行きたがります。ある女の子は海外に住む叔父さんにあこがれて、アメリカ暮らしを夢見ています。

我が子と相性がいい大人が、親戚中にひとりでもいたら幸運です。子どもは、その人を通じて、すてきな将来をイメージするからです。

164

いっしょに美術館へ

子どもとはじめて行った美術館は、電車1本20分で行ける「ちひろ美術館」でした。まずは近所から始めて、遠くの美術館にもよく行くようになりました。

知人のお嬢さんはゴッホが好きで、ゴッホ展に連れて行ったあと、

「なんかスッキリしたわ」

とひと言。学校が楽しい場所ではなくなっていた時期、ゴッホの絵に助けられたそうです。

「最後に好きな絵を言い合おう!」
と約束して自分のペースで鑑賞

165

ハグ

おかえりなさいとハグしましょう。ただいまとハグしましょう。

ギュッとして、汗くさい子どものにおいを胸に吸い込んで。いっぱい遊んで楽しかったのか、お友だちとけんかして悲しかったのか、子どもの体から伝わってきます。ハグを恥ずかしがる年齢になったら、頭をなでたり、腕をちょんとさわるのもいいですよ。

166

子どものサードスペース

子どもにこそ、サードスペースが必要です。子どもには逃げ場がないのです。ひとりではカフェにもデパートにも行けません。

ですから学校と家以外に第三の居場所を。お稽古場、図書館、おばあちゃんち、押し入れのなか、となりのポチとタマ、顔見知りの街の本屋さん。

近所に居心地のよい場所があったら、子どもの日常の風通しが少しよくなるでしょう。

167

過干渉

親に時間があると過干渉。

親に学歴があると過干渉。

親にコンプレックスがあると過干渉。

親に後悔があると過干渉。

親に趣味がないと過干渉。


その親を選んで生まれたのは、間違いなくその子の選択ですから、実はそれほど気にしなくてもいいんです。

親は一生懸命に仕事や家事をし、子どものことは放っておくぐらいがちょうどいいようです。子どものほうから近づいてきたときに、「大好き、大好き、やればできる子。自分の好きな道を歩いておいき」と言ってやればいい。

子どもを疑うから過干渉になります。そして、子どもを疑う人は自分への不信感があるようです。まずは、親自身が自分をやさしくいたわってほしいなと思います。

168 勉強ができない子

「勉強ができない我が子をついお友だちとくらべてしまいます」

そんなご相談を受けることがあります。

全科目できないでしょうか？

ひとつでも得意なことはありませんか？　図工、体育、係りの仕事、習い事のなかで、ひとつでも「得意」があればまったく問題ありません。

小学校で生きもの係だった同級生は、大人になって牧場に就職しました。全部の科目ができない（やらない）お子さんで、SE会社の社長になった人もいます。昔はパソコン授業なんてありませんでしたので、だれも才能に気がつきませんでした。

一流になる人は学校の枠をはみ出ます。親が「ダメな子」だと言わなければ大成します。

芽生えた才能に「あなたは、ここが得意だね」とときどき水をやれば、あとは勝手に好きな道で幸せに生きていきます。子どもの未来を自分の定規にあてはめて、小さくしないことが大切です。

169

いっしょに遊ぼう

親という上の立場よりも、「仲間である」と横の同志的感覚が、子どもにとっては何より大切です。ですから、いっしょに遊んでいいのです。

くだらないことで笑い合う。
おもしろいことを教えてもらう。
流行りのゲームで遊ぶ。
落書きも泥団子もダンゴ虫も。
マンガやアニメやダジャレも。
ふとんがふっとんだ。
コンドルが食い込んどる。
アルミ缶の上にあるみかん。
子どもの笑顔によって、大人は自分の子ども時代を追体験させてもらえます。

そして、子どもはいっしょに遊んで笑う人を仲間だと思うのです。

共感のばんそうこうを貼る

子どもも大人も外で戦って帰ってきます。傷だらけの家族にはばんそうこうを貼る必要があります。特に子どもの傷には早めの手当てを。ばんそうこうとは、話を聞いて共感することです。

「つらかったね」
「痛かったんだね」
「それは大変だったね」
「悲しかったんだね」

体をヨシヨシしながら言葉をかけます。それ以外に大事なことってあまりない気がします。

親の役割は「考える」ではなく「感じる」です。

「こうすればいいいんじゃない？」と考えを押しつけると傷が深まりますので、まずはヨシヨシと共感のばんそうこうを貼りましょう。

170

ファンクラブ会員番号1

お母さんとお父さんは娘さん&息子さんの世界一の味方です。ファンクラブの会員番号1番。

何があっても、あなたがすばらしい、大好き。そう伝えてあげてください。心をポカポカにあたためてあげてください。

しっぽまであんこが詰まっているたい焼きのように、娘さんと息子さんの爪の先まで「お母さん、お父さんは私が（ぼくが）大好き」が詰まっていますように。

171

172

ひとりで子育てしている人へ

「頼れる人がいない」ということは、悲しいことではありません。

シングルマザーもシングルファザーも立派な方が多いなと感じています。みなさん、いい子育てをされている。「足りない」という気持ちをなんとかふんばって補おうとしていて、たっぷりの愛情を子どもに注いでいます。

凛とした覚悟が美しく、そのしなやかな強さを見ていると、「頼る人がいない」というのは決して悲しいことではないのがわかります。

悲しいどころか、子どもと親、兄弟姉妹が思いやりで結びついていて、やさしさと強さが濃い家庭が多いのです。

特別な時間をすごしているファミリーだからでしょうか。小さなつづらに、たくさんのおいしいおかずが詰まっているお弁当が心に浮かびます。

合わない場所に放り込まれる

人はだれもが長い人生のなかで、見る目がない人たちの群れに放り込まれることがあります。

173

保育園、幼稚園、小学校、中学校、高校、大学、専門学校、会社。

人はなぜだか一度だけ「合わない場所」を経験するようです。

その人が自分の「際立つ長所」に気づくための時間です。「周囲と合わない」という経験から、自分がアヒルではなく白鳥だと気がつきます。

もし、お子さんが周囲と合わなくて苦しそうならば、そんなことを話してあげてください。「みんなより少し先に大人になったのかもしれない」「いつかきっとあなたに合う友だちに絶対に会えるよ」と繰り返し繰り返し伝えてあげましょう。

親は強くやさしく賢く忍耐強く見守るしかありませんが、まだ見ぬ未来を楽しみにしていてください。かならずお子さんに合ったやさしい仲間と美しい場所が用意されていますから。

174

飽きたら終わりでいいのです

子どもが遊びや習い事にすぐ飽きたとしても、小言を言わずに見守りましょう。

私たち親世代は「最後までやりとげなさい」と、繰り返し言われて育ちました。でもこれからは、飽きたら終わり、飽きたら卒業が、新しい生き方です。

飽きたときとは、満ち足りたときです。次の学びや楽しいテーマに進むためにも、ピリオドを打つのです。自分の可能性を広げる賢い選択です。

175

お金の使い道は黙って見守る

「そんなくだらないもの買って」

こんなふうに、子どもが買ったものを否定することは、子どもの価値観を否定することです。

大人から見て、どんなにつまらないものに見えても、

「おもしろいもの買ったね」

「それがほしかったんだね」

と、肯定してあげましょう。

176

愛情のかけ方は違っていい

愛情のかけ方は、100人親がいれば、100通り。

日々のごはんが愛情。

必死に働くのが愛情。

いっしょに遊ぶのが愛情。

勉強を見てあげるのが愛情。

エゴさえなければ、子どもはどんな行為も愛情と受け取ります。


実家が寝具店でした。当時は年中無休のきりきり舞い。クリスマスも誕生日も正月も家で祝った記憶がありません。でも、母はワンピースやセーターを手作りしてくれました。また、毎週金曜日に家族全員で外食する習慣があり、幼いながらも楽しい思い出が心にあります。

私自身が母になったとき、洋服を手作りすることはできませんでした。外食をする経済的な余裕もありませんでした。でも、クリスマスや誕生日などの行事をささやかに祝うことに、ことのほか喜びを感じましたし、娘も喜んでくれました。

親がしてくれたことを子どもにしなくても、子どもを喜ばせたいという純粋な思いがあれば、どんなことでもそれを愛情と受け取ってくれるはずです。

いえ、何もしなくても、思っているだけで愛を感じてくれるのが、子どもだと思います。

177

大人の「ごめんね」は誠実さを育む

いつもいつも、にこにこで、やさしい親でいられるわけはありません。朝の出勤前にイライラをぶつけてしまったり、売り言葉に買い言葉でひどいことを言ってしまったり。悪かったなと思ったら、謝りましょう。

「朝はイライラしてごめんね」

「お母さん、言いすぎたね、ごめんね」

そのひと言で、子どもは親の誠実さを感じます。そして、悪かったときにちゃんと謝れる大人に成長します。

178

子どもをたたかない

暴力はいけないよと教えますよね。だとしたらどうして子どもをたたくのでしょうか。

子どもは体が小さく知識も未熟ですが、ひとりの人間として尊重される存在です。間違えても怠けても、たたかないでください。たたかれて育った子は心も体も縮んでしまいます。

179

子どもを叱らない

重要なときに、子どもを叱るのは、悪いことではありません。でも毎日叱っているとしたら、子どもが悪いわけではなくて、あなたが忙しくて急いでいるだけです。叱る理由は親の側にあることが多いでしょう。

180

ベージュはゆるす色

ベージュは寛容の色です。ゆるす色。私は「抱っこしたいような色」と感じます。

もしあなたが子どもを叱りすぎているなら、まずは自分をゆるすことです。おひさまみたいなやさしいぬくもりのベージュを、部屋に取り入れてみてください。カーテンやソファなど、大きな面積の箇所をベージュに変えてみましょう。

181

耳栓を買ってみませんか

赤ちゃんの泣き声で気が狂いそうになること、ありますよね。そんなとき、耳栓を入れるだけで気持ちがラクになります。ダメな母親だなんて思わないでくださいね。

それにしてもあなたのお子さんはすごいパワーです。お母さんをノックダウンさせるほどの音量で泣いてくれるなんて、五臓六腑の強い子ですね！

182

片づけさせなくて大丈夫

「片づけなさい！」と叱りすぎていませんか？

子どもが出したものでも、大人が片づけて大丈夫です。あなたが気になるのでしたら、気になる人が片づけましょう。叱りすぎるより、よっぽどストレスが減ります。「片づけちゃうよ」とひと言ことわりを入れるのを忘れずに。

ときどき子どもの散らかしたものを見るのもおすすめです。楽しく遊んだワクワクな気持ちが残っていて、にっこりできますよ♡

183

子どもの手、親の手

小さな子どもの手を、できるだけご機嫌でにぎってあげましょう。あなたがイライラしていたり、不機嫌だったりしないときに。最高に楽しいと感じながら、手をにぎりましょう。

子どもは頭ではなく、体で記憶していきます。「楽しい感覚」「うれしい感覚」「ワクワクする感覚」です。

たくさんの幸せな体の感覚を持って大人になったら、今度は年老いた親の手を、あたたかくにぎり返してくれるでしょう。

184

主役はだれ？

子どもの人生の主役は、子どもです。

親は脇役でさえありません。

舞台に上がってはダメ。完全に裏方さんです。

そんなことわかっていますと言われそうですが、いつのまにか親が主役になることがあるのです。

いい学校、いい会社、名声、名誉、見栄え。自分の子どもの売値を計算したり、見返りを計算してみたり。ふう、耳が痛いこと。

舞台にドカドカ上がっていないか、邪魔をしていないか、そっと振り返ってみましょう。

大丈夫です。あなたの愛情は舞台裏からしっかりお子さんに伝わっていますよ。

苦手をそのままに

185

子どもの苦手なこと、矯正したくなりますよね。算数、偏食、運動、かなづち、話し下手などなど、大人になったら困るだろうからと苦手克服に走るのは不安いっぱいの親のほう。

でも、子どもは自然と「できなくても困らない」進路を選びます。

お箸の使い方がなってなかった子、魚が苦手だった子。どちらもいまでは優雅な外国暮らし。お肉のメニューに大満足です。

苦手を無理やり矯正するのは、時間がもったいないんです。得意なことを伸ばすほうにシフトしてみてください。時代も変わってきています。

ひどい言葉はあなたでストップ

186

だいたい世界中のお母さんは、言葉を使うことが上手ではありません。

「早くお風呂に入りなさい」
「ゲームで遊んでばかり」
「そんなんじゃいい大学に入れない」
「そんなんじゃいい結婚もできない」
「なんでそんな仕事を選ぶの」
「少しは親のことを考えなさい」

親から言われたひどい言葉を、我が子に繰り返してしまうことも多いようです。

ここでひとつの決意を。ひどい言葉を言うのはあなたでストップです。先祖代々伝わるひどい言葉の連鎖に終止符を打ち、あたたかい言葉を話す人間になりましょう。

そうするとご先祖様が、あなたにありがとうと恩返しをしてくれるようになります。たくさんの不思議な助けが入るようになるでしょう。

すてきな学校を選びましょう

学校選びの秘訣はずばり「子どもといっしょに見に行くこと」。そして、子どもが気に入ったところを受験すること。

187

親のエゴや親の条件で志望校を決めるべからず。かならず子どもといっしょに学校見学をしましょう。

通っている生徒さんの自然な様子を見ると、子どもは不思議とわかるのです。自分には派手すぎる・地味すぎる、楽しそうだ・楽しくなさそうだ、勉強だけじゃなくて部活も魅力的だな、雰囲気が明るい・暗いなど。子ども本人が感じた正直な印象がいちばん大切です。

学校選びとは、「毎日8時間以上すごす場所」を選ぶこと。通学電車や街の様子も、自分に合う場所かどうか、子どもはよくわかっています。「ここに通えたらいいな！　あこがれちゃうな！」。子どもの心がいまも、ずっと先の未来も、はずみ続けますように。

188

3年生でも4年生でも読み聞かせ

子育て中はお金がなかったので、図書館でひたすら本を借りました。読んだ絵本の冊数は、1000冊以上。私も楽しいし、子どもも大の本好きになりました。

少し大きくなった子どもでも、絵本の読み聞かせは大好きです。もう3年生だから、4年生だからとあきらめず、楽しい本、おもしろい本を読んであげてみてください。文章の多い本を毎晩1ページずつ読むのもおすすめです。

「『長くつ下のピッピ』は、毎晩お母さんが少しずつ読んでくれたよね」

いつまでも記憶に残る、すてきな財産になるでしょう。

189

ほめるとは尊敬を伝えること

ほめることは尊敬です。尊敬のほめ言葉は脳へいちはやく働きかけ、能力もぐんぐん伸びます。現在も未来も明るくする太陽のようなパワーが、ほめるという行為にはあります。

職場にほめ上手な人がいると、仕事はなめらかに運びます。能力差などは確かにありますし、困った人もいますけれど、ほめる力は場をあたため、成果を生むのです。だれだって、尊敬されたらうれしいからです。

子どもにも同じことが言えます。「勉強しなさい」と100回言うより、できたことを1回ほめたほうが成果につながるでしょう。

ほめ言葉は、苦労の先にむぎゅうとたくさん隠れています。ですから、「最近、学校（部活、勉強、習い事）、どんな感じ?」と問いかけてみてください。トツトツと話し始めたら、うんうん耳を傾ける。それが苦労話だったら、大漁のチャンス。

「ええー！ そんな！ それすごい大変だったね！ まじ!? 苦労したね！ えらいね！ あなたしかできないじゃん！」

感嘆符とほめ言葉の連打に、手の先、足の先まであたたまっていくことでしょう。

コラム・季節の言葉　夏

6月

・6月はがんばり月

6月は祝日がなくて、なかなかハードな月ですね。

毎日がんばる。休まずがんばる。雨でもがんばる。なんとまあ、根性を試される月でしょうか。

でもなぜか「何かに集中すること」や「一気に仕上げること」が、得意な月でもあるのです。よいしょ、よいしょとがんばりましょうか。

・梅干しをひとつ

梅干しでごはんをいただいたり、お弁当にひとつ入れたり。梅雨時のだるさにとてもいいのが梅干しです。

「梅はその日の難のがれ」と言われます。クエン酸に疲労回復効果があることはよく知られていますが、若返りのビタミンE、鉄、マグネシウム、植物乳酸菌も含まれています。小さいけれどすごいんです。

・みょうがのおつまみ

旬のみょうがとキュウリを細く刻んで、お醤油をかけるだけ。さっぱりサクサク、ビールのおつまみ出来上がり。

・大葉パスタ

休みの日のランチには、ささっと大葉とガーリックのパスタを召し上がれ。シンプルなのに深いおいしさなのは、旬の大葉の栄養価が高いからです。

・大葉と豚クルクル

豚の薄切り肉に塩コショウをして、大葉を重ねてくるくる巻き、爪楊枝で止めます。

オリーブオイルで焼くだけですが、家族の手が止まりません。晩のおかずにも、お弁当にもばっちり。旬の大葉の香りを楽しみましょう。

7月

・夏至「半分やりきった私。このあと半分はどんな私？」

1年でいちばん、昼が長い日です。太陽がたっぷりのこの季節、気分は前向きです（春は上向きですが、夏は前向きという違いがあります）。

「私、上半期やり切ったなあ！」と、折り返し地点での達成感を得て、そのまま前進していく人もいれば、「今年も半分終わるのに何もやってない」と、焦りや停滞感を感じる人もいるでしょう。その際、あれができなかった、これができなかったと反省はあまりしないでください。

「私、これからどうする？」と未来へ向けて自問自答することが最適です。仕事のチャレンジ項目を増やしたり

（部署異動、転職、新規プロジェクト）、プライベートで新しいご縁を拡大したり（趣味、習い事、ＳＮＳでの交流、自分が発信者になる、資格試験の計画）、忙しかった毎日をスローペースに軌道修正したり（秋冬の旅の計画、休暇の見直し、行動範囲の拡大、自分への癒しイベント）。

「私という素材をこのあとどう生かすのか」をワクワクしながら考えるのが、夏至のすごし方です。

・**梅雨明けの大掃除**

梅雨が明けると、ジメジメしていた家のなかを、からりさっぱりさせたくなります。床の水拭き、風呂掃除、シーツや毛布など大物の洗濯、粗大ゴミまで出して、「よし！」という気分になる7月ですね。

・**入道雲**

何かに似ていたり、だれかに似ていたり、「物語」が隠れていそうな入道雲。少し立ち止まって見てみませんか。竜神さんや天使の羽に見えることもあります。いつか別れた大事な人の面影を、入道雲に感じるかもしれません。

・**幸せな冷蔵庫**

だれがなんと言おうと、ビールとアイスのおいしい季節です。冷蔵庫のなかにビールをずらり。冷凍室には色とりどりのアイスクリームを。コンビニのショーケースをイメージすると、家族の気分が上がるワクワク冷蔵庫の出来上がり。

・グラスにひと工夫

ビールはグラスが命だそう。空気をはさんだ冷却グラスや、きめ細かい泡の出るグラスもあるわけです。夏の一杯のビールを、最高の状態で飲むための準備。楽しくてたまりませんね。

・細切りがポイント

冷やし中華の具材は、麺と同じくらいに細く切るからこそおいしいのです。口の中でシャキシャキツルツル。

錦糸卵はいちばんに焼いて、キュウリとハムも細く細く。細さは手抜きができません。意外と本気モードになる、夏の休日おすすめの料理です。

・薬味たっぷり冷ややっこ

旬の薬味をたっぷり用意。しょうが、みょうが、オクラ、おかか、大葉を、リズムにのって盛り付けします。主役の豆腐が見えなくなるのも予定調和。毎日食べたい夏の魅力です。「三之助《みのすけ》とうふ」というメーカーが特に気に入っています。

・夏のパジャマ

夏のパジャマは、ゆるいタートルネックにオーガニックコットンの楽ちんTシャツを重ね着します。おかげで夜間も冷え知らず。目覚めののどはしっとり潤い、ガラガラ声とは無縁です。

8月

・ゴーヤ、本番

夏まちどおしい野菜はゴーヤ。豆腐と卵と豚肉をオリーブオイルでザッと炒めます。あたたかくておいしくて、ビタミンCもミネラルもたっぷり。食べたらすぐに、元気がきゅんきゅん駆け抜けます。

・夏のお風呂

クーラーの冷えがイライラのもとだと知ってから、お風呂がグッと楽しくなりました。湯船に塩をほんの少し。水晶も沈めて。レモン水をグラスに注いで、脱水予防。

ゆっくり入浴したあとは、心も体も頭も「ていねいな私」になりました。

・夏バテにそうめんを

暑くて何も食べたくないとき、冷たいそうめんならば、ツルツルといただけるものです。おいしいだけではなく、汗で流れてしまう塩分を補ってくれます。

夏冷えでだるい場合は、あたたかいそうめんが食べやすいですよ。しめじ、豚肉、長ネギを軽くゆで、灰汁を取ってみりんと醤油と塩とおだしでつゆに仕上げます。ゆであげて水で締めたそうめんに、熱々のおつゆをかけるだけ。冷えた胃にやさしい味です。

・花火大会

はじめて間近で花火を見たときは度肝を抜かれました。こんなに大きなものなのかと、あんぐりと口を開けたままでした。

大きな花火は、人を幸せにしてくれます。いやなことや悩みや不安も、全部吹き飛んでいくのが夏空の花火です。

いつかまた、かならず見に行きましょうね。

・ボサノヴァ

夏の夕暮れには、小野リサさんのボサノヴァがおすすめです。

聴いていると「暑い！」と苦情を言うことも忘れていきます。リサさんの声と音のやさしさで、暑さもいいなあと感じられます。

・古いそうめん

奥から出てきた3年前のそうめん。おそるおそるゆでて食べてみると、絶品美味でした。「寝かすとおいしい」を知っていたけど、忘れていたからごめんなさい。ごめんごめんとゆでたのに、すばらしいお味にありがとう。

第３章
少し疲れた
ときに

190

無理しない、無理しない

無理して入った学校は、楽しくなくなってしまいます。無理してがんばった仕事は、大きな成果につながりにくい。無理して作った料理は、おいしくない。「無理しているな」と思ったら、いったんストップ。無理をしていいことはひとつもありません。

191

人嫌いになる日

いつもがんばっていると、人嫌いになる日があります。だれにもやさしくできない日があるのは、悪いことではなくよいことです。

ミツバチ、鳥、魚、土、ミミズ、芝生、花、樹木、太陽、空気、楽器、絵画。そういうものと遊んでください。

人間以外の何かとたっぷり時間をすごせば、また元気がわいてきます。

192

「食べごと」を整える

必要最低限の家事とはなんでしょうか。これは、家族でキャンプに行ったときにわかりました。

火と水があり、料理をして、食べて、洗うだけがキャンプ場での暮らし。食べ物と寝袋と、少しの着るもの、ランタンと本があるだけで幸せでした。

火と水を使って料理をして、お皿を洗うこと。

それが家事の原点で、いちばん大切なことなんだと気がついたのです。

疲れきったときはまず眠る、休む。その次に「食べごと」を整える。掃除や洗濯、片づけはいちばん最後で大丈夫です。

193

脇道が本道に

本当にやりたいことがあるとき、人はいったん脇道にそれて、ああ本当はこれが好きだったのかと本心に気づきます。そしてその道が本道になるのです。ですから脇道に入ったことを悲しまなくて大丈夫。

高い倍率をくぐって入学できた大学を辞めて、楽器の修理の専門学校に入り直した少年がいました。その子はいまとても幸せです。

何もしなかった日

何もしなかった日なんてありません。
あなたは何かをしていました。
体をいたわっていたのです。
筋肉をゆるめていたのです。
深い呼吸をしていたのです。
ゆっくり睡眠をとっていたのです。
だれかの心に寄り添っていたのです。
どれもこれも目には見えませんよね。
でもたしかに大切な何かをしていた日です。
グッドです。それでいいです。
あなたにとって、最高の１日でした。

194

195

「不安」は手放せる

「不安」はいま起きていない未来の心配。すべての出来事は「起きてから考えればOK」です。

不安ってよくよく観察すると、とても不思議なものです。「たったいま」不安な気持ちなのだけれど、その中身は「未来のこと」で実態がありません。

いまを生きているのに、いまでない何かを探しています。だれもが「いつかこうなったらどうしよう」と怯えるものですが、5年後10年後なんてだれにもわかりません。

「預言者ではないから不安になることはやめましょうか」

と言うとみなさん笑ってくれます。

「もしも当たるならすごい才能。預言者で食べていけますよ」

と言うともっと笑ってくれます。

さて、あらゆる出来事は起きてから考えましょう。

不安なことの99%は実際には起こりませんし、実際に起こっても小難なのです。そしてたいていのことにはかならず助けが入ります。

大丈夫ですから。

196

火加減にたとえてみる

嘆きや悲しみを手放すのは、「火加減」を変えるようなものです。

フライパンのお料理が焦げそうならどうしますか。ただシンプルにいますぐ火を弱めますよね。それだけです。

自分の心が焦げないように火加減を調整しましょう。だれかがやるのではなく、あなたがあなたにおこなうことです。

「悲しむのはもうやめよう」

そう思うだけで大丈夫。それが火加減を弱めるということなのです。

197

お風呂で答えが出る

お風呂に入る前に、なんでもいいから質問を思い浮かべます。

仕事のこと、家族のこと、進路のこと。全身を洗ったあとに湯船に入ります。すると、なぜだか不思議と答えが飛んでくることがあります。その答えはひらめきに近く、核心をついています。

198

好きというものさし

役に立つか立たないかよりも、好きか嫌いかというものさしを大切にしていきましょう。

好きでないものは、一見役に立つように見えても、すぐに役に立たなくなります。

199

10分寄り道

仕事の帰りにコーヒーを一杯、書店をぐるり、少し遠回りのドライブ。

10分ほどの寄り道で、すっと心が軽くなったり、切り替えられたりするものです。

200

ドラマの感動は「心の良薬」

周囲に韓国ドラマのファンがいます。ドラマに共通しているのは、情動（エモーション）です。胸をわしづかみされるいくつもの感動は、「心の良薬」なのです。

現実離れした物語であっても、情動はリアルです。そこから、自分の暮らしを見つめ直し、よし、明日もがんばろう！と勇気がわいてきます。

ですから、「ただの娯楽」と軽んじたり、「ドラマを見すぎて怠けている」と、好きなことを制限してはいけません。どうぞ感動していてください。心を動かして生きる大切さを、ドラマが教えてくれますので。

201

暮らしの反対側

ときどき、自分の暮らしの反対側にあるものを見に行きましょう。

都会暮らしの人は、広々とした草原や森、花の風景を。

田園暮らしの人は、高層ビル40階のレストランに心が踊るかも。

単調に暮らす人は、飛行機の離発着や埠頭の客船を見に行く。

子どもの世話をしている人は、大人とたっぷりおしゃべりする。

大人社会で生きている人は、小さな子と遊ぶ。

人を癒す仕事の人は、自分が癒されるほうにまわる。

自分の暮らしの反対側は、刺激がいっぱい。視座が変わり、気持ちがくるんとラクになります。

202

繊細さは極めれば武器になる

繊細な心の持ち主は、傷つきやすく生きていくのが大変だなあと悩むこともあるでしょう。

でも、繊細な心も極めれば武器になります。

嘘を見抜ける、不誠実なにおいに鼻が利く、人の傷つきにいちはやく気がつく。

神様から知恵を授かったと思って、持ち前の繊細さを自分と大切な人を守るために生かしましょう。

203

「いまできない」の理由を知る

「いつかやりたい」という夢をかなえていくには、「なぜいまできないのか」を具体的に知ることが大切です。

家事はもちろん、仕事、趣味、習い事、家のリフォームなど、「やりたい」と思っているのに、きっかけがつかめない、タイミングが合わない、ということがあります。「きっと続けられないし……」と、やる前からブレーキを踏む人もいます。

そういうとき、なぜできないのか考えてみます。そこにはたぶん、具体的な理由があります。子どもが小さい、仕事が忙しい、近隣にいい教室がない、経済的に余裕がない、親の介護が大変、家族が反対する、などです。それを書き留めておくといいでしょう。少し経ってから「できない理由」を見直してみます。暮らしは変化するものですから、できない理由はいつのまにか消えて、「いまならできる！」と思えるかもしれません。

「できない理由」がなくなったのに、まだ先延ばしにしようとしているなら、本当にやりたいわけではなく、何かから逃げたいだけかもしれません。

204

夢がかなわないとき

自分のまちがった信念が、邪魔をしているのかもしれません。

「地方出身だから」「母子家庭だったから」と、知らず知らずのうちに、自分の未来の出来事を制限していることがよくあるのです。

205

夢がかなうまでの時間

夢を描くことができて、その夢が体になじむようなら、だいたいの夢はかなうというのが、私の実感です。体になじむ、というのは、身体感覚として自分の夢がしっくりくる、ということです。

ただし、タイミングは人それぞれで、10年かかる場合も20年かかる場合もあるでしょう。

夢がかなうまでの時間が不幸ということではなく、必要な経験をする時間です。夢を育てている時間と言ってもよいでしょう。

206

だれかの忘れられないひと言

だれかが言ってくれたひと言が、人生のガイドになってくれる場合は多いようです。


「あなたはマンガ家に向いてるね」

「きっと将来起業するね」

「あなたがお店を開いたら、お客さんになりたい」

このような忘れられないひと言が、あなたにもありませんか？

言った相手は、深い意味もなく口にした言葉でも、忘れられずに心に残っているとしたら、その言葉は、ずばり、あなたらしさを教えてくれたのです。あなたの特性を見抜いてもらったのです。何気なく言われた「お前おもろいやつだな」のひと言で、お笑い芸人になったという武勇伝はいくらでもあります。

その言葉を思い出すと、体があたたかくなり勇気がわいてきますか？　ほっぺがゆるみ、口角が上がり、ほんのりニヤニヤしますか？　人生のガイドとなる言葉には、心が気がつくより先に体が喜びます。聞いたときにしょんぼりする言葉は、あなたにとって必要のない言葉です。思い出してうれしくなる言葉が、あなたのガイドランナーです。

207

デジタルデトックスの日

何をすべきか、どこに行くべきか、自分の心の声さえ聞こえなくなっていたら、電磁波オフ&オフラインの日を。

目がさめているあいだじゅう、携帯電話を手から離せない人の体は、特有のバイブレーションで帯電しています。帯電により、頭や顔などのエネルギーが固くなってしまい、直感が鈍ってしまうのです。

ですので、芝生の上でくつろぐ、海に行く、温泉に行く、自然のなかを散歩するなど、電磁的な影響から離れる日をつくってみるといいでしょう。デジタルデトックスです。

1日デジタルなものから離れると、その日の夜には、携帯ではなく自分が充電されたこと、感知能力が高くなったことに気づくはずです。

直感が冴える感覚を体得してみましょう。

仕事のミス

ミスは、だれにでもあります。これはなぐさめの言葉ではありません。真実です。すぐにお詫びし、誠実に事後処理をしましょう。

反省は短く、感謝は多め、罪悪感はやめときなさい。

あなたがいじけなければ、評価も実績も勢いがつきます。

たくさんのミスと誠実な対応を経て、いつか部下の失敗をかっこよく助ける人になれるのです。

208

水の力で洗い流す

入浴と洗濯は、「古い汚れを水の力で落とす」という同じ意味があります。

洗濯すると衣類に残った思念や古いエネルギーが流されます。入浴も同じで、体に残った1日のエネルギーがさっぱり流れていきます。

イヤなことがあった日ほど、しっかり入浴を。シャワーだけでなく全身をたっぷりした湯に沈ませましょう。

翌朝はパリッと洗濯した洋服を着て、新しい日を始めましょう。

209

210

日向ぼっこ

疲れたな、元気が出ないなというときは、外に出て日向ぼっこを。太陽の力は強大で、30分ほど陽光に体をさらしているだけで、元気になってきます。

何も考えず、カメが甲羅干しをするように、日に当たってみましょう。

テレワークストレス

211

呼吸のリズムが違うと、人はストレスを感じます。夫が急いでいる浅い呼吸の横で妻がゆったりすごすのも、夫の休憩中に妻がオンライン会議をするのも、波長が乱れて負担です。

家で仕事をする場合は、家族と物理的に距離を取るのがいちばん。できればどちらかが外に出かけるといいでしょう。我が家の場合は、私がカフェや実家で仕事をします。夫が仕事や山やジムに出かけるときは、家が私のワークスペースになります。

サードスペース

212

家庭人でも仕事人でもない自分でいられる場所をつくりましょう。

カフェ、公園、趣味の場（スポーツでも宝塚観劇でも）。心の健康を保つために第三の場所が必要です。

緑色の力

疲れて、自分のまわりをやさしさで包みたいとき、緑色を身につけましょう。グリーンは癒しの色です。

213

214

鎖骨をいたわる

強めのストレスを感じた日、左の鎖骨（心臓側）をマッサージしてみましょう。

鎖骨の上と下、なぞるように痛い部分をやさしく押さえていきます。そうすると肩凝りもラクになり、深呼吸ができるようになります。特に怒りのエネルギーがたまったときに効きます。かんたんお手当て。仕事中でもどうぞ。

215

途中で辞めても正解

「途中で辞めてしまったから……」となげく人がいます。お稽古ごと、学校、仕事などなど。それは途中で「辞めた」のではありません。学び終わって「卒業」したのです。ピリオド・句点を自分で打ってください。卒業証書を自分にわたすのです。

「おめでとう、わたし、よくやった、いいタイミングだった」

中途半端という言葉は不要です。100％生きてがんばった結果です。

水曜日は家事をお休みします

管理職をしていた時代、４つの部署をいったりきたり。崩壊したと言われては立て直すというハードな業務でした。

そのころ決めたことがありました。毎週水曜は何もしないというルールです。おかずは買ってきたもの、洗いものもしない。20時に寝る。もしくは20時には家族との交流をやめて本を読んだり音楽を聴いたりひとりの時間をすごす。家族にはあらかじめ伝えておけば問題はありません。

１週間の真ん中で賢い選択。疲労が蓄積する前にどうぞ。体が休まるだけでなく、家族に対してありがとうと思えてきます。

216

１日の最後に

ここに、空欄を用意します。

１日の最後に、自分をねぎらいませんか。

「今日は［　　　］ができた。えらいね、自分」

にっこり笑顔で眠りにつけるだけでなく、自分をほめることが苦手な人の練習になります。サンプルの答えを用意しました。ご自由にお取りください（笑）。

【サンプル】

ごはんを食べた・しっかり眠った・楽しく遊んだ・会社に行った・ドラマを観て心を喜ばせた・遅刻しなかった・やさしく笑えた・買い物できた・ごはん作った・親にラインした・店員さんに「ありがとう」を言えた・新聞読んだ・なんとか１日生きた

217

218

「置かれた場所に意味がある」

『置かれた場所で咲きなさい』という本がヒットしました。

当時は、なるほど、と思いましたが、いまでは「置かれた場所に意味がある」と考えるようになりました。

自分の生まれた環境に疑問を持ったとしても、それらはオリジナルな暮らしや人生を創造するための大切な何かを含んでいます。マイナスと思えることも、あなたの武器や長所になっているかもしれません。

厳しい両親に育てられたら、やさしい人になろうと。愛を感じない両親なら、愛を発する人になろうと。お金に困っている親の元に生まれたら、お金を上手に生み出す人になろうと。

田舎に生まれて、田舎を活性化したいと思うか、田舎の閉塞感から抜け出したいと思うのか。どちらも、田舎を体験しなければわからないテーマです。

苦しい場所からはさっさと脱出！をおすすめする私ですが、あなたという木が育つ栄養が、生まれ落ちた環境にあるかもしれない、という視点を心のどこかに留め置くと、人生の意味をとらえ直すことができるかもしれません。

219

写真集を見に行く

仕事と家の往復だけの毎日。それをずっと続けていると、だんだん「何やってんだろう」と暮らしの喜びがなくなっていきます。そういうときは本屋さんで写真集を手にします。

ギアナ高地、イングリッシュローズガーテン、子ねこと子いぬ、世界の祭り、日本の風景、ファッションの歴史、美しい建築など、そこにあるのは別世界。「眼福」の言葉通り、目が喜び、脳はのどの渇きを潤すかのようにするりと美しい写真を飲み干していきます。

手から離したくない写真集は、「うちに来る？」と買って帰りましょう。

220

出かける前に急に

準備万端でさあ出発！というときに、急に電話が鳴ったり、靴ひもの調子が悪かったり、家の鍵が見つからなかったり、急にトイレに行きたくなったり。そういうことが、ときどきあります。

焦らずに、「ほう、そうかい」と、落ち着いて対処しましょう。約束の時間に遅れたとしても、何かのタイミングがうまく合うようになっているものです。

221

挫折の基軸を動かす

目標を達成できなかったとき、試験に落ちてしまったとき、だれもが挫折感を味わいます。でも実は、そもそもの目標設定自体がまちがっている場合があります。

「ダメだった」「試験に落ちてしまった」という挫折感からはパワーは出ません。意欲が下がる場合のほうが多いでしょう。それよりも「少しずつだけどここまでできてるぞ」といった、肯定的なエネルギーのほうが、仕事や学びへのパワーになります。ですから、なるべく挫折しない仕組みをつくりましょう。それには目標設定が重要です。

そもそも無理な目標を立てていませんか？

「3カ月で合格」という設定がまちがっていて、「1年で合格」もしくは「2年で合格」が適正なのかもしれません。「毎日10分、家で勉強する」が無理だったら、「週末に2時間、図書館で勉強する」が合っているかもしれません。トライ＆エラーを繰り返してはじめて正しい目標設定ができます。

いま落ち込んでいる人は、どうぞ目標設定の見直しを。挫折の基軸を自分で動かし、むやみやたらに挫折感を味わわないのが知的な大人です。

222

疲れて、落ち込んで、何もできない

いますぐベッドのなかへ！
どうぞ丸まってください。

心身ともに疲れきってしまったら、「今日は何もできない」と宣言して、何もかもストップしてふとんにもぐりこみましょう。

眠ったあと、動けるようだったら何かを食べてください。好きな果物があるといいですね。

そのあとは、ぼへえっと自然のなかを歩いてください。

暮らしのなかでＳＯＳを出すことは、恥でも罪でもありません。何もできない自分を、そのまままるまるまるいたわりましょう。

甘えの対岸

甘えの反対側には、甘えさせてくれる人のやさしさがあります。甘えは互助の心です。

223

日本人は「甘え」に少し厳しい気がしませんか？「甘えるな」とか「それは甘えだ」といった言葉をよく聞きます。

「できないから教えてください」は、甘え。

「風邪ひいたから寝ていたい」も、甘え。

「疲れたからごはん作れない」も、甘え。

これを相手側から見てみると、意味が違ってきます。

できないことを教えることができたら、誇り。

風邪をひいた人を看病するのは、人助け。

疲れてごはんが作れない人の代わりに食事を作れたら、やさしい人。

こう考えると、「甘え」の対岸には、たくさんのよいことが隠れています。

甘えは互助の心です。ときどきだれかに甘えてみていいんですね。そうしてみたら、相手の能力や慈しみ、隠れたやさしさがわかるでしょう。

224 塩で手洗い

お世話になっている鍼灸師さんに教えてもらったことですが、いやなことがあって自分をすぐに清めたいなと思ったときは、海の塩を少しだけにぎり、手のなかで擦り、お礼を言いながらトイレに流すといいそうです。

仕事が本当に大変だった一時期、その教えを大切にして、少量の塩を職場に持参していました。こじれた仕事を根気よく解決しなければならないとき、ほんの少しの塩を手に擦り込み、トイレに流して、気持ちの切り替えをしたものです。

225 「私なんてどうせ」

この言葉は口にしませんように。この言葉で悲しんでいるのはだれでしょう。家族？　いいえ。友だち？　いいえ。いちばん悲しんでいるのはあなたです。言葉は深く入り込み、体を悲しませてしまいます。肺、心臓、胃、脾臓、肝臓、血液、骨。すべてが泣いてしまいます。

どうぞ、五臓六腑がニコニコ笑えるように、自分にやさしい前向きな言葉を。

226

周囲の不調

「何か悪いことが起こったわけでないのに最近元気がでない」という方へ。

ひとつ質問です。

あなた以外の人は元気ですか？

まわりのだれかが落ち込んでいるのかもしれません。あなたはそれに憂いや心配を感じているのではないでしょうか。

まずはあなたが倒れないように、栄養補給と休息と気分転換をしましょうね。

大切なだれかを、明るく支えていけるように、しっかり眠り、笑って、起きてください。

227

生徒の準備ができると先生が現れる

心がまえも用意もできていないうちは、よい先生は現れないようです。

生徒の準備ができると、はじめて物事が動き出して、目の前によい先生が現れます。

「教わりたい。学びたい」

熱意や夢が、しっかり熟すのを待つことも大切です。

228

大胆な場所替え

仕事も家庭も行き詰まって、袋小路に入ったようなとき、都道府県を越えた大きな移動は「あり」の選択です。好きな都市、いいなと思う地域に思いきって引っ越してみるのです。

家を買ってしまっていたり、子どもの学校の問題があったりなど、いろんな事情があってむずかしいことは承知していますが、大胆な場所替えで人生がよいほうに向かった人を何人も知っています。

弱っている人を突き放さない

229

大人でも子どもでも、弱っている人や泣いている人を突き放してはいけません。

なぜかというと、後悔するのはあなたのほうだからです。

できる範囲で助け、甘えさせてあげましょう。電話一本、お茶一回、話を聞くだけでもいいでしょう。

共倒れはいけませんので、体力気力が持つあいだだけ、やるだけやったらおしまい。こうしておくと後悔しません。

230

幸福のレッスン

　花を買いましょう。自分のためにお花を買うのです。

　オレンジ、ホワイト、ピンク、パープル、イエロー。

　直感で「コレ！」と心がふわりと動いたものを、自分の家に招き入れてください。

　あなたの心に必要な色の花を、かならず買いたくなります。

　これは「幸運」を招き入れるレッスンのひとつです。1年に一度でもいいから、お試しあれ。

子育てがつらいとき

自分の「つらい」という気持ちを、そのまま感じましょう。

泣きすぎて気が狂いそう、かわいいと思えない、子どもと離れてひとりになりたい。そう考える自分をおかしいと思わないでくださいね。みんな同じように悩んでいます。

自分のつらい気持ちを存分に感じたあとは、だれかの手を借りましょう。身近に頼れる家族がいなかったら、ベビーシッターや短時間保育や家事代行などどんどんお金を使っていいのです。もったいないと思わないでください。いまお金を使わなくていつ使う！と思ってください。

心の風邪をひく前に、よく効く栄養剤にお金を払うようなことです。だれかに助けてもらうことを、どうぞ恐れないで。

231

232

筋肉が大切

筋肉が落ちると、不思議と「でも、だけど……」と言い訳が増えます。気持ちが弱くなってしまうのです。「もっと強く、ポジティブに！」と、心にだけ働きかけるのは無理があります。

そこで、筋トレをおすすめします。体から強く明るくポジティブにしていくと、心はすぐに変わりますよ。

233

体の向き

人の話を聞くときは、体の向きを変えて体ごと聞きましょう。

謝罪をするときも、体をしっかり相手に向けて、心から謝りましょう。

心は体の向きにあらわれます。真剣に聞いていること、真剣に謝っていることが、伝わるはずです。

234

家族の問題を軽くやわらかく

実家や家族の問題を重要視しすぎないことが、これからの時代の生きやすさです。

軽く、柔軟に、やわらかく。

長男だから跡継ぎになれ、ではなく、跡継ぎに不向きな長男もいれば、跡継ぎに向いている次男や三女もいますよね。跡を継がなくたって困ることはありません。軽くやさしく「戦わない方法」をみんなで選んでいきましょう。

問題を問題視しなければ、問題ではなくなります。

軽く、やわらかく。呪文のように唱えて柔軟にいきましょう。きっと大丈夫です。

0円で笑顔に

235

市民プールで泳いだり、図書館でたくさんの絵本を借りてきたり、おにぎりを食べながら公園で日向ぼっこしたり。

その昔、とても少ない収入で一家3人暮らしていましたが、家族が笑顔でいることに、お金は必要ありませんでした。

格差が広がり、子どもの貧困が問題になっている昨今です。編集者さんからお金がないことのつらさを乗り越えていくための質問が出ました。しかし私はうまく答えられず。お金がなくても心が貧しくない人はいるし、お金があっても心が貧しい人がいる。そんな言葉が口をついて出ました。

自分の時給を上げることはかんたん。お金を増やしたければ増えることはかんたん。這い上がることはかんたん。

そう思っています。

未来を信じればお金の不安はなくなるし、増えていくのです。それには、現在、家族が笑っていることが大切です。家族が笑っていないと、未来を信じることはできないでしょう。

ですので、まずはお金をかけずにできる笑顔の行動を実践してみませんか。「足りない」から始まった物語は、どこまでいっても「足りない」までです。「満たされている」から始めてみたら、どんな状況でも、満たされています。つまり問題はお金ではないということです。

236

いやな場所から出ると宣言

その地方だけのしきたり、不可解な校則、その部署だけのルールなど、あなたを苦しめる檻《おり》から出る第一歩は、「出られる」と宣言することです。

237

新しい社会へお引っ越し

離婚が絶対にダメだという社会から、離婚で幸せになった人がたくさんいる社会へ。

人に合わせることを求められる社会から、自分の意見をハッキリ言うことがよしとされる社会へ。

引っ越す。転職する。

住まう社会を変えましょう。

あなたを自由にする新しい価値観は、すぐ近くにあったりします。

238

忘れている幸運

ときどき、自分に聞いてみてください。

「そもそもなぜ、ここにいるのか」

難関企業に入社できた。

国家試験をパスして医師になった。

引き上げてくれる上司がいた。

いまいる居場所はあなただけの特等席。どんな人でも運を持っていて、ラッキーな過去の集積としていまがあります。

つらければその場を立ち去るのは大賛成！　なのですが、忘れている幸運を思い出すと、すっと初心に帰れる場合もあります。

239

もしかしたら、不幸を……

その不幸、もしかしたら、もしかしたら、自分で選んでいませんか？

言いにくいけど、あなたがみずから不幸を選んでいるのかもしれません。

たぶん手放せますよね。幸せになろうとしましょう。

できます。幸せを選べます。

240

思い出し作業

夫とケンカばかりしているという人に、「なぜ結婚したの？　付き合ったばかりのときはどんなだった？」と質問すると、ふわっとエネルギーが変わります。さっきまでとは全然違うエネルギーで、出会いの感動を話してくれます。

ああ、大好きだったと思い出す。いまも、その心が消えてしまったわけじゃない。

そう思えるなら、関係は幸せに修復できます。

241

できていることを数える

1日の終わりに、「あれもできなかった」「これもできなかった」と落ち込むことがあるでしょう。

でも、できなかったことは、しなくてよかったことです。できなかったことは、人生でなんの意味もありません。

できたことを数えましょう。

あなたにしかできなかった大切な何かが、たくさんあるはずです。

242

朝起きてだるい日には

昨晩何を食べたか思い出してみます。そういえば野菜が足りなかったなとか、塩辛いものばかりだったなとか。むくんだ顔を見てはため息が出ますが、そんなときは、食べ物と体調の関係に気づくチャンス。

「大切な用事がある前の日は○○を食べてはダメ。食べるとしたらランチまで」

マイルールがだんだん決まってきますよ。

243

大変な日のランチタイム

大変な日、気苦労の多い日は、いつもと違うランチタイムを。先輩や後輩に行きつけのお店を聞いてみると、いいかもしれません。周囲の人のお墨付きランチには、発見がたくさん。女性客の多いラーメン屋さんやカレーの食べ放題のお店、デザートがおいしい定食屋。新しい動きに心がリフレッシュされ、気がつけば疲れが取れています。

勝たなくていい勝負

残念ながら、卑怯な人というのはいます。

あなたの手柄を泥棒みたいに持って行ったり、悪意のある陰口をたたいたり。

あなたは怒りを覚え、相手を打ち負かしたいと思うかもしれません。でもそれは勝たなくてもいい勝負です。


どうぞ私の手柄を持って行ってください。

どうぞ私の陰口を言ってください。

でも、私はやりません。

あなたと同じ言葉を使って、同じような表情であなたと同じように闘うことはしません。

私はあなたと同じではありません。美しく凛と生きることを選びます。それを「負け」というなら「負け」でけっこうです。

244

コラム・季節の言葉 秋

9月

・**秋分「私にやさしくする日」**

夏の疲労がじわじわ出てきて、夏バテが長引いたり、秋の長雨で風邪をひいたり、わけもなくだるかったり。

体をやさしくメンテナンスするタイミングが、秋分の日あたりにやってきます。ストレッチをする、整体に行く、リフレクソロジーに行く、温泉に行く、お茶を点てて一服、おはぎをいただく。うーむ、どれもすてきです！

寒い季節が来る前に、体をじゅうぶんにいたわり、メンテナンスしましょう。

・**さんま**

さんまの季節がやってきました。あの細い体をスーパーで見かけると「ああ、また来てくれたね。1年ぶりだね」とうれしくなります。大根おろしはあったほうがいいですが、忙しいときはそのままの塩焼きでじゅうぶん。塩こうじで味付けしても、美味ですよ。

・**武運を上げるとんぼ**

秋の公園、芝生の上でひと眠り。目が覚めたとき、トンボが手や足にとまってくれていました。トンボは前にしか飛ばないので、背を向けない「勝ち虫」と言われています。その縁起のよさから、戦国武将たちに愛されていました。とまってくれたら「ありがとう」と思います。

・月を眺める

旧暦の8月、現代の9月に月を眺める十五夜の慣習、しみじみいい行事だなあと思います。

十五夜ではなくても、ついつい見上げてしまう夜空に浮かぶ月。

会社員時代、満月の日はなぜか職場がイライラ、バタバタしましたし、新月の日はトラブルもなくすーっと仕事が片づいていきました。

お月様は何をしているんですかね。気になる存在ですね。

10月

・しょうが玉

しょうがをひとかたまり買ったら、その日の料理に使った残りをすりおろします。500円玉の大きさにしてからラップして、冷凍しておきましょう。寒い朝、紅茶にぽちっとしょうがとはちみつを入れますと、おかわりしたくなるおいしさです。10月の収穫時は特に風味がよく、風邪予防にも最適です。

・炊き込みごはん

待ってました！　秋は炊き込みごはんの季節です。栗、さつまいも、ごぼう、油揚げ、シイタケ、しめじ、にんじん、こんにゃく、鶏肉、おだしで味つけです。なんとぜいたくでしょうか。あったかいお味噌汁があれば、あとは何もいりませんね。

・金木犀

10月の明け方に星空を見ていたら、どこからか金木犀の香りが飛んできました。星が香りを飛ばしてくれたようで、にんまり空を見上げました。

11月

・登山用の靴下を買う

専門店のバーゲンで、登山用の靴下をまとめ買いします。一般のお店ではなかなか売っていない地厚で丈夫な靴下たち。実は真冬の室内履きにもってこいです。少しだけ値が張りますが、頑丈さは天下一。5年も6年も履けます。

・スープのおいしい季節

「ああ！熱々のスープが飲みたい！」という衝動は、冬が近いことを教えてくれます。かぼちゃのポタージュ、キャベツと鶏肉のポトフ、ビーフシチューにコーンクリームスープ。熱々フウフウ頬張っておなかも心もほっこりの冬だよりです。

・紅葉

神宮外苑のイチョウ並木が鮮やかな黄色になりますと、多くの人が撮影にやってきます。

山奥の木々が色とりどりに色づくと、都会の人がワクワク撮影に出かけます。

紅葉は人気者です。だれもが自然界から届いた秋を知らせる手紙を、楽しみたいんですね。

・しいたけ

しいたけのおいしさに目覚めたのは、大人になってからです。不思議なかたちで、いい香り。

漢方では生薬になるほど滋養があるというから、恐れ入ります。旬の時期は特に香りがよく、焼いてレモンをしぼるだけでごちそうです。

第 4 章

仕事の心がけ

245

メモが信頼をつくる

「人は、忘れる生き物です。ですからどんなことでも絶対メモすること」。

社会人1年生のときに、秘書課の先輩からいただいた言葉です。この名言のおかげで、仕事でもプライベートでも約束通りに用事を済ませる人になれました。

いまも、手帳にメモするだけでなく、トイレのドア、玄関、机の目の前など、いたるところにメモを貼っています。

小さなメモの積み重ねが、自身の信頼をつくってくれているような気がします。

胸から差し出す

書類や資料をだれかにわたすとき、両手で胸から差し出すようにしましょう。心が伝わります。

246

247

やる気が出ないとき

どうしても仕事へのやる気が出ないとき、仕事用の靴やバッグを買うために、ウィンドウショッピングをします。「ヒールは低めで外回りに耐えられるもの」「バッグは軽くてA4サイズの書類が入るもの」といったように、実用性重視で見て回ります。

家で仕事をしている人も「仕事で使うもの」を買いに出かけましょう。

買っても買わなくても、「ああでもない、こうでもない」と選んでいるうちに、仕事へ向かう心が整ってきます。「ああ、この仕事、好きでやってるんだな」という思いがわいてくるのです。

248

曜日ごとの色

曜日ごとにエネルギーは違います。身に着ける色でトーンをそろえると、ストレスが少し軽減します。

たとえば、活力と調和が求められる月曜にピンク色のシャツを選ぶ、カッカしやすい火曜日には淡いグリーン、週の真ん中の水曜には落ち着いたブルー、疲れてくる木曜日はイエローとオレンジ、金曜日は華やかな色で週をしめくくりましょう。

249

「あいさつ」から始める

仕事場に入るとき、心のなかであいさつをします。

「おはようございます。

今日もありがとうございます」

何にお礼を言っているのかというと、電気、ガス、水道、机、椅子、パソコン、上司、部下、同僚、窓からの風景、コピー機、すべてにです。

会社があなたのために用意してくれた居場所があること、座る場所があること、あなたが今日寒くないこと、暑くないこと、お茶が飲めること、すべてにです。それがあって、はじめて仕事で活躍できます。

いやなことがあっても、会社に不満があっても、朝はあいさつから始めませんか？

250

「3カ月後のお楽しみ」設定

仕事にマンネリを感じたら、3カ月後の楽しみをひとつ、決めてみましょう。旅行に行く、友人に会う、ハイキングに行く、冬物（夏物）セールに行く、豪華ランチを予約するなど、心が躍る計画を立てます。

すると、仕事にハリがでてきます。休暇がとれるかどうかわからない、などと、言わないでください。いまから、休暇の申請をしておくのですよ。

251

その提案はだれを喜ばせる？

企画や提案をするときは、だれのために何を解決したいか、その提案によってだれが喜ぶのか、職場のどんな不安が取れるのか。その点を具体的に整理して伝えるといいでしょう。

252

勇気が必要なときの「赤」

取引先とのタフな交渉の日や、上司に言うべきことを進言する日など、仕事では勇気を振り絞らなければいけないときがあります。そんなときは赤い色を身につけましょう。活力を生み、あなたの勇気を支えてくれます。

253

職場の空気を変える

ギスギスした雰囲気の「黒い職場」に勤めるのは、とてもつらいことです。逃げてもいい、辞めてもいい、と思います。

でも、空気を変えることはできます。上の立場の人が、自分の部下に対して愛を持って、「この職場に来てくれてありがとう。いっしょに働いてくれてありがとう」。そう思えたら、空気は変わります。

上司の立場でなくても、いっしょに働く人を愛そうと思うだけで、少しずつ、少しずつ空気は変わります（上役のほうが変化は早いですが）。

254

休憩の質を上げる

仕事が得意な人は、休憩上手です。休憩を取らないとかえって疲れてしまい、能率が下がります。

脳はそもそも「喜び」という刺激が好き。ですから、お昼休みには脳を喜ばせましょう。軽く昼寝をしたり、公園でぼーっと空を眺める。おもしろい本やマンガなどを読む。スマホは少しのあいだ手元から離せたらいいですね。

好きなことをして喜んだあとは、午後の仕事がぐんとはかどります。

255

仕事のためのおやつ箱

アーモンド、くるみ、カシューナッツ、ピーナッツなどの種実類や、プラムやレーズンなどのドライフルーツを、仕事の合間につまんでいます。種《たね》の持つ潜在的な成長の力をもらえるおかげなのか、食べるとぐっと集中できるのです。とうとう、デスクの上におやつ箱ができました。夜な夜な、ポリポリ食べてます。

256

花柄のふせん

ちょっとした伝言をするとき、花柄のふせんを使っていました。

「昨日はヘルプをありがとう！」

「沖縄のおみやげです」

「あの件、解決しました！」

花柄で「ささやかなありがとう」を届けます。手元にあると何かと助かる存在です。

ロッカーにお昼寝セット

会社のロッカーに、お昼寝用の枕とアイピローとひざ掛けを入れておきます。ランチタイムに15分のタイマーをかけて軽く眠ると、午後は本当にスッキリします。二度目の朝を迎えるくらい効果があるのです。

ただし、来客や会議のある日は頬のクッキリ寝痕《ねあと》にご注意を（笑）。

257

傘立てと冷蔵庫の掃除

人と物が大事にされている会社は、傘立てと冷蔵庫がきれいです。折れた傘がほこりをかぶっている傘立て、持ち主不明のペットボトルが置きっぱなしになっている冷蔵庫は、職場の愛情不足を示しています。

ですから、10分だけ掃除してみましょう。傘をまっすぐに立てかけてみる。冷蔵庫をさっと水拭きする。不要な傘や食品を処分する。傘立てと冷蔵庫を整えると、全体に「なんとなくいい感じ」が広がっていきます。長く続けると、だんだん働く人や物の気持ちを大切にする職場に変わっていきますよ。

258

259

女性と出世と成功と

働いている女性たちへ。機会があれば出世してください。声がかかったら、やってみてください。

「会社で初の○○」と言われたり、「聞いたこともない大抜擢」なら、なおさら引き受けてみましょう。

あなたのために作られた玉座です。後に続くかわいい後輩たちのために、先頭に立ってください。

周囲をよく見まわしてください。

あなたしかいませんでした。

ほかの人にはできません。

あきらめとともに「私がやるしかないのだ」と勇気が凛凛わいてきます。

困難を恐れなければ、かならず助けが入り続けます。

グッドジョブ！　グッドガール！　人生に真の孤独はありません。

がんばれ！

260

職場の人とカフェに寄る

ときどき職場の人と仕事帰りにお茶をしましょう。それだけでなんとなくいい感じになります。翌朝のあいさつも親しみがわきます。たった1回でもいいですよ。

後輩にコーヒーをおごるのもありです。会議中に缶コーヒーを買ってきてくれた上司をときどき思い出します。抱えた腕からガラガラと「どれがいい？」とテーブルに。「男前！」と思いました。

261

発するエネルギー

職場では、自分の発するエネルギーに気をつけましょう。感情はそっと脇に置きます。怒りや不満のエネルギーは、職場の空気を汚染します。

ワクワク楽しく仕事をしていると、仕事を任されることが増えて、お給料アップにつながります。

262

きれいな靴

手入れされたきれいな靴で、仕事に出かけましょう。靴に仕事のていねいさが出るものです。

ハイヒールでもスニーカーでもどんな種類の靴でもいいのですが、手入れされた靴を履くことが大事です。

靴が汚れている人は、不思議と仕事ができませんでした。

雑に生きている、嘘をついている、無理をしている。どんなに取りつくろっても靴に出ます。

昔は会社の宴会を居酒屋さんでおこなうことが多く、靴を脱ぐ機会がありました。脱いだあとの靴を見ていると、靴の顔や表情がわかります。美人の靴、粗末にされている靴、長く大切にされている靴。脱いだあとの靴を、人に見られて恥ずかしくないようにしておきたいものです。

263

つながる幸せ

あなたの仕事の先のその先まで想像してみましょう。

たとえば保育士さんが30人の子どもの面倒を見ているとしたら、あなたのおかげで、子どもの親は安心して働けます。親が働く会社を、あなたも支えるひとりです。保育という仕事を通して日本の経済にどれだけ貢献していることか。

たとえばあなたがカフェの店員さんだったとします。いい接客をしたら、そのお客様はその日幸せに仕事や家事ができるでしょう。大きな商談が決められるかもしれません。あなたが今日休んでいたら、達成できなかった仕事があるかもしれません。

こうやって、あなたの愛の仕事は驚くほど多くの人に届き、たくさんの幸せにつながっていきます。

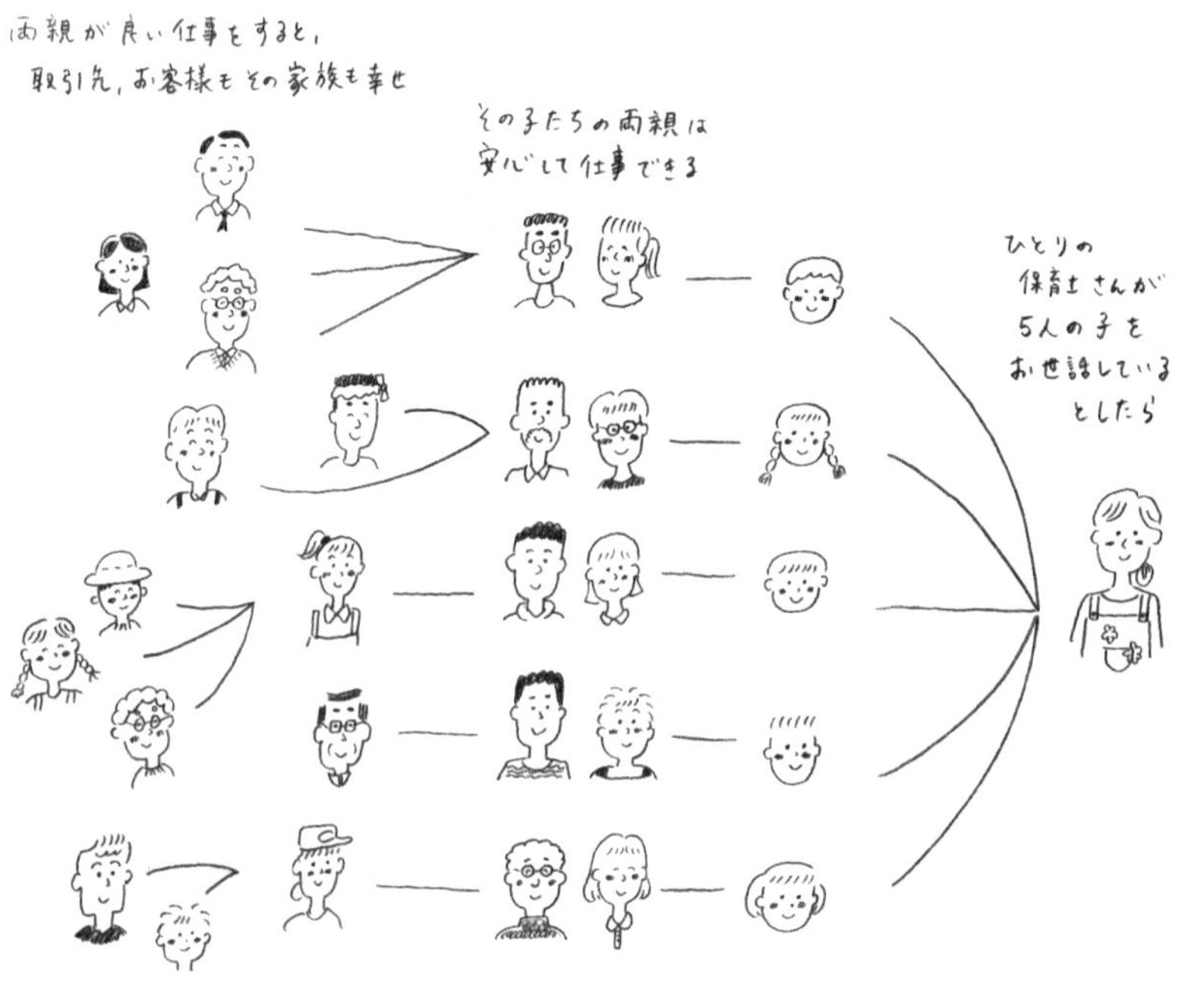
両親が良い仕事をすると、
取引先、お客様もその家族も幸せ
その子たちの両親は
安心して仕事できる
ひとりの
保育士さんが
5人の子を
お世話している
としたら

給料の目標を立てる

自分の月給の目標を立ててみましょう。「手取りで○○円」と具体的に考えてみます。

264

「30万あったらいいな。いやいや80万円はいけるな」というふうに、思いを巡らせるだけでかまいません。

このとき大切なことは、「体もピタリと納得するか」です。

その月給をイメージしたとき、呼吸が深くなりましたか？

肩に力が入ってないですか？

リラックスできますか？

楽しそうな自分ですか？

なんとなくポカポカとあたたまりますか？

体に違和感がないならOKです。その金額は達成可能です。あなたの実力と価値に合っています。

月給目標でピンとこない場合、時給目標にしてみましょう。

「時給2000円の人になろう、時給5000円の人になろう♪」と想像していき、体がピンとくる金額を探ります。

具体的な金額の目標を立てておくと、人生がそのような方向に押し出されていきますよ。

265

累積で考える

「過去の自分の実績とくらべて落ち込む」という人がよくいます。それはまちがっています！

仕事の価値は累積なのです。長い仕事人生を区切って、「去年よりダメだった」「昔よりできない」と落ち込む必要はありません。

オリンピック選手だった人がコーチになって「現役時代よりタイムが落ちた」と卑下する必要はないと言えば、わかってもらえますか？

仕事の質や成している内容はどんどん変わっていますし、「昔はできた自分」ではなくて、「いままで成し遂げてきた自分」と累積で価値を考えましょう！

266

愚痴？ 報告？

上司にトラブルを報告するとき、感情はいりません。起こった事実を時系列でまず報告。数値的損失、事態を収拾するための今後の動きをシンプルに報告します。

ロジカルに説明すれば、上司は耳を傾けてくれ、解決方法や問題点を指摘してくれます。

自分がいかに大変だったか、びっくりしたか、ひどいめにあったか、落ち込んでいるか、怒っているかという感情は報告ではなく愚痴です。上司はうんうん聞くだけで解決しようとはしないでしょう。そして、あなたがトラブルに対処できなかったという事実だけが印象づいてしまいます。くれぐれも、報告と愚痴を混ぜないように。

267

メールは相手のトーンに合わせる

いつも顔を合わせている相手へのメールは、シンプルな定型スタイルがベスト。

顔を合わせていない人へのメールは、相手のトーンに合わせます。用件のみの人、かならず近況を入れてくる人、なかには、「了解しました」のみのひと言型の人も。そっけなくてびっくりするかもしれませんが、「相手の文面を真似る、合わせる」ことを心がけると仕事の呼吸も合ってきます。

268

曖昧さを避けることが思いやり

仕事のメールで大切なのは、わかりやすさ。聞かれたことにシンプルに答える。相手への質問は答えやすいものに。「これってどうですかねえ」みたいな曖昧さはNGです。

「Aのプラン、Bのプラン、Cのプランがあります。水曜午後までにご返答をお願いします」

選択肢と期日をハッキリさせることが、相手の時間を奪わない思いやりです。

269

紺のスーツ

アメリカの経営者はよく紺のスーツを着ています。上質の紺色は信頼の色。一着持っていると、あらゆる仕事のシーンであなたを助けてくれます。

10年以上前に購入したMOGAの紺色のパンツスーツは、管理職だった私のここぞというときの勝負服。子どもの就職活動でも活躍してくれました。たしか10万円で購入しましたが、その価値は値段以上でした。襟のデザインが特徴的な、美しい紺色のスーツでした。

270

仕事前、朝の本

通勤時に、本を読んでいました。たった5分の乗車でしたが、本をめくると言葉がしみて、朝の太陽も手伝い、背筋がスッと伸びました。

仕事に行く前に、善き言葉を目にしておく。そうすると、雑な気持ちになりません。

271

オンライン会議は笑顔で

画面越しのミーティングで、ムスッとした表情の人が多くて驚いたことはありませんか？　自分の家だからつい無表情になるのかもしれませんが、話し手はいっそう緊張してしまいます。

ですから、ふだんの1・5倍、ニコニコ笑顔を心がけましょう。相づちもわかりやすく「うん、うん」とうなずく。話す人への思いやりです。

272

キツイ上司を攻略

いじわるで不親切な上司に厳しく当たられ、悲しむ人がいました。

苦しんだ結果、「いやだ、いやだ」と繰り返している自分こそ、「いやな人になったな」と、気づいたそうです。


彼女は、苦しみ憎むことをやめ、成長していく自分になろうと誓いました。

「いつかこの人を追い越そう」

「辞めないでくれと懇願される人になろう」

そのように考え始めた途端、以前なら週末まで引きずった上司への怒りが半日で終わるようになりました。少し経つとたった5分のトイレ休憩で気分を切り替えられるようになってきました。

すると、次第に上司との関係が穏やかなものになってきたそうです。驚くことに、ピンチのときに助けてくれるようになりました。

思考を変えることで自身が成長し、「職場の猛獣使い」になれた例です。

273

がんばりどきは、人それぞれ

左の図を見てみてください。

Aさん、Bさん、Cさんのがんばりどきの波形はそれぞれに違います。自分の健康、家族の状況によって、仕事のがんばりどきは変わります。そして、この波は自分でコントロールすることはできません。

焦らなくても転機はやってきます。無理をせず、目の前のことを楽しくやっているだけでいいのです。

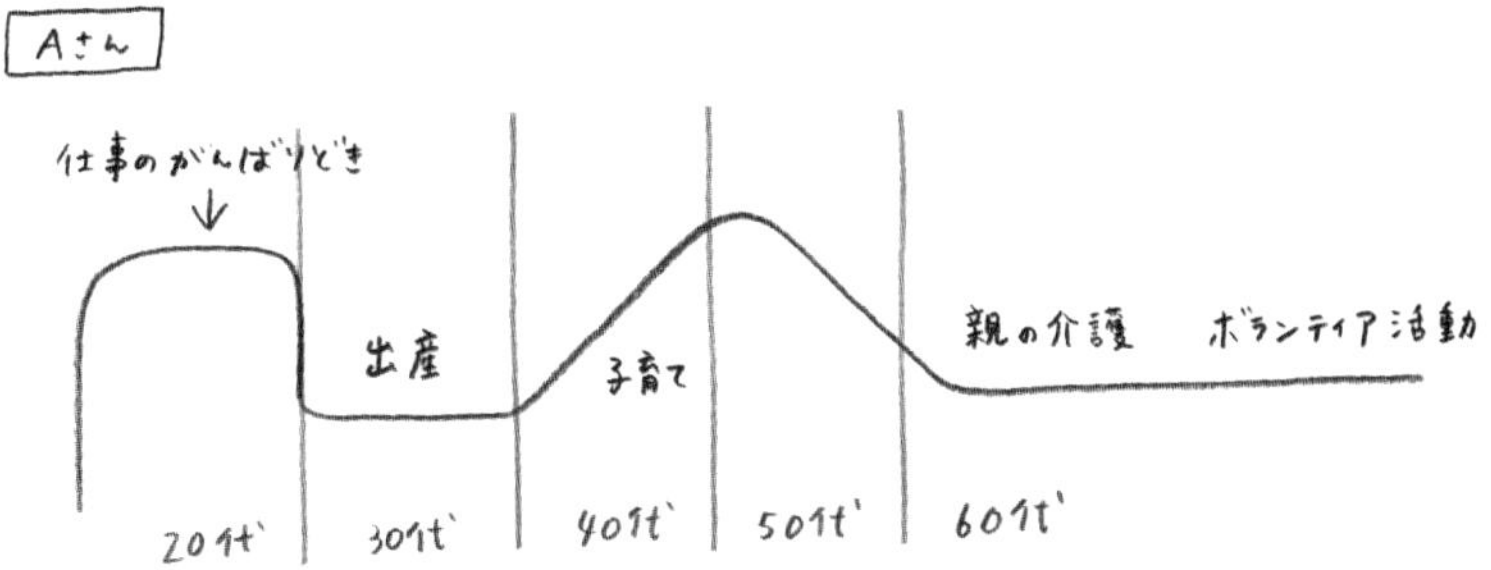
Aさん
仕事のがんばりどき
出産
子育て
親の介護
ボランティア活動
20代
30代
40代
50代
60代

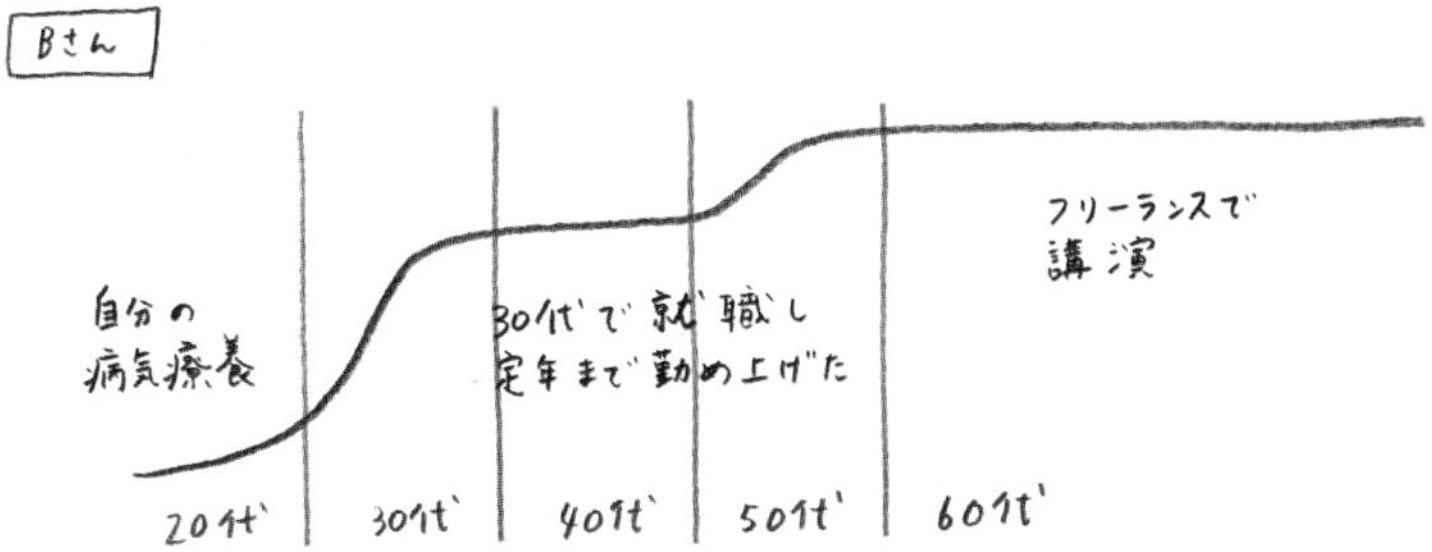
Bさん
自分の病気療養
30代で就職し
定年まで勤め上げた
フリーランスで講演
20代
30代
40代
50代
60代

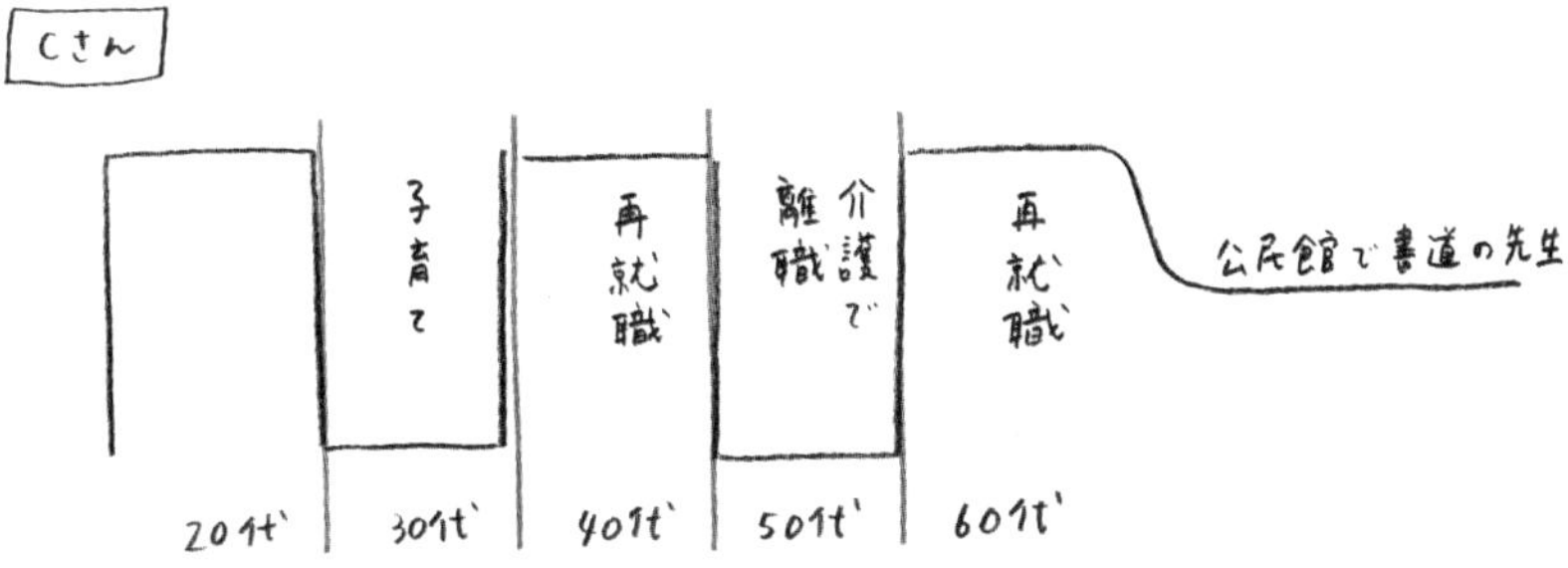
Cさん
子育て
再就職
介護で離職
再就職
公民館で書道の先生
20代
30代
40代
50代
60代

274

いいカフェのエネルギー

「いいカフェ」を見つけておくと、仕事の進みが悪いときや集中できないときに、場のエネルギーを借りることができます。「いいカフェ」とは、「なんかいいな」という人がいる場所。

きびきびと働く店員さん、静かに談笑するカップル、本を読む人、勉強をする学生、キーボードを心地よいリズムでたたくビジネスマン。そこに集まる人からポジティブなエネルギーが出ている店は、変なお客さんを寄せつけません。

そして、他人様のエネルギーを得て、あなたの仕事もはかどるでしょう。

275

素直な人は伸びる

上司の指示や同僚の助言に対して、

「やってみます☆」

「了解です♡」

という軽いノリで実際にやってみる人は、かならず伸びます。転職後にいままでとやり方が違ったとしても、

「ここではこうなのか、オッケーです◎」

と柔軟になじもうとする人も同じく、まわりの人の力をどんどん吸収して実力をつけていきます。いい仕事を頼まれるようになり、お給料もどんどん上がります。

つくづく、素直さって大事だなあと思います。

276

仕事人のおこづかい

外で仕事をする人は、自由に使えるおこづかいが必要です。自分の贅沢のためでなく、他者を喜ばせるためのお金です。部下のお祝いごとに贈り物をしたり、歓送迎会では多めに負担したり。取引先とのお付き合いも、地位が上がるほど増えていきます。

家計に圧迫を与えるのはいけませんが、自由なお金は持っておきましょう。愛情や感謝の表現としてお金を使っていると、いずれどこからか「ありがとう」と還元されていきます。

277

職場で拾うもの

落ちているゴミを拾いましょう。クリップも拾いましょう。

これは運を拾うことと同じ意味です。

278

記録を残す

人は忘れるものです。業務の変更点、決済された事柄などの記録を残しましょう。変更点や経緯を確認する必要は意外と多いので、「いつ、だれが、何を」をメモしておくと、あとから役に立ちます。ときどき振り返ることで、全体を俯瞰できて大事な気づきを得られます。パブリックな情報ですから、周囲の仲間と共有できるファイルにまとめるといいでしょう。

279

リスタートは軽やかに

長らく専業主婦だった方が社会復帰するとき、

「外の空気を吸いにいくような気持ちで、週1回から始めてみましょう」

とアドバイスします。気負いすぎると大変ですから、

「いやだったらやめる」

「試しにやってみる」

という感覚で。家族にもそのように伝えておきましょう。そして実際に自分と相性のいい職場に出会うまでは、5回、6回と仕事を変えていいと思います。

50代でリスタートして、いまでは正社員としてバリバリ働いている方を何人も知っています。軽くゆるく始めるのがコツです。

280

できることはいつもささやか

困っている人がいたら、手伝いを申し出る。
ミスして泣いている人がいたら、追い詰めない。
落ち込んでいる人がいたら、そっとしておく。
焦っている人がいたら、穏やかな声で話しかける。
集中している人がいたら、邪魔をしない。
穏やかな日があったら、ありがとうと笑顔を。

コラム・季節の言葉　冬

12月

・冬至「新しい私を願い祈る」

1年でいちばん夜が長いおかげで、少しだけ神妙な気持ちになるのが冬至の個性です。冬至には、願いや祈りが似合います。願いや祈りとは、特別な宗教でもなんでもなく、毎日の暮らしで、だれもがやっていることです。

遊びに出かけた子どもが、無事に帰宅するように。

仕事で忙しそうな夫が、体調を崩さないように。

目の前のプロジェクトが、成功しますように。

やさしい気持ちから始まるふだんの祈りを、冬至のこの日は少し目線を遠くまで延ばして、これから1年の自分について願ってみましょう。できれば「do」ではなく「be」の願いを。

「来年、私はこういう自分でありたいな」とイメージしてみましょう。

・帰省

帰れない年もありました。

会いたいときに会えないしんどさを、世界中の人が感じたでしょう。

でも、会えないことで、家族の大切

さが身にしみました。

会いたいとき、会えるなら、会っておきましょう。「会っていれば」という後悔は、せつないものですから。

・大掃除はしなくてもOK

小さなお子さんがいたり、フルタイムで年の瀬まで働いていたら、大掃除はできないものです。

年末はゆっくり体力を回復しましょう。年が明けてから換気扇の掃除やキッチンまわりを磨きます。鼻歌を歌いながら、新しい年に家をきれいにするのも楽しい気分です。

1月

・あけましておめでとうございます

月が変わっただけなのに、1月になると、胸をグンと張る誇らしさがあります。新年にあやかって、自分の気持ちも新しくなります。

・年賀状のお福分け

毎年ワクワクしながら元旦に郵便ポストを開けます。1年ぶりのあの人この人、近況報告がうれしい。友だちの子どもが大きくなったり、家族が増えたり、わんこやにゃんこが増えたり。お元気そうで何よりとこちらが福を分けてもらっています。

・干支の置物

干支の置物はただのお飾りではありません。家族の無病息災を願い、世界も幸せでありますようにと、そこに「心を置く」のです。善き年になりますように。

・冬の憂鬱を癒すあずき

1月の半ばになるとお正月の疲れが出てくるかもしれません。寒さがこたえて憂鬱になったら、あずきはいかがでしょう。

ホカホカのタイ焼きや熱々のおしるこをフウフウしながらいただくと、冷えた心がゆるみます。あずきは漢方名「赤小豆《せきしょうず》」。栄養たっぷりです。

2月

・2月の個性

それぞれの月に個性があるとしたら、2月は少し恥ずかしがり屋です。あっというまにやってきて、あっというまに終わります。

でも私はそんな2月が好きです。寡黙さ、忍耐強さ、堅実さ、実直さといった長所がたくさんあります。深く内観できる月です。

短い月ですけれども、2月のキリっとした潔さが大好きです。

・寝坊と早寝

冬の朝はなかなか夜が明けません。でも冬の夕べはすぐに日が沈みます。お日さまでさえ寝坊と早寝が好きな季節ですから、私たちもそれと同じでいいですよね。朝はゆっくり少しお寝坊、夜は早くおふとんへ。たっぷりの睡眠をとりましょう。

●2月、ガハハ！と笑います

「冬の憂いのピーク」がやってくる前に、「笑える趣味」を見つけませんか。

お笑い番組、コミカルな映画、ラジオで落語など、どんなものでもかまいません。ガハハと笑うと体があたたまります。心ももちろんあたたまります。

家でヌクヌクしながらだれかから「笑いのエネルギー」をいただいて、「くだらないねえ」と笑い飛ばして、冬の終わりを乗り切りましょう。

●受験シーズン、親の心がけ

叱らない
命じない
圧力かけない
くらべない
ほめる
ねぎらう
休ませる
好きにさせる
もう一度ほめる

そうすると子どもの頭のなかがきれいになります。思考がポジティブになり、やる気が出ます。

雑音が減り集中できます。

結果、自信がついてきます。

持っている力を出しきれる子になります。

ちなみに、ほとんどの親は反対のことをしています（笑）。

・受験シーズンの栄養1

無理なくおいしく魚介類を食べてもらいましょう。紅じゃけやおかかのおにぎり、さんまやあじ、さばの塩焼き。白身の魚のフライ、ゆでだこのマリネ、いかフライ、しじみのお味噌汁。新鮮なものに火を通し、子どもの好きな味つけで。

・受験シーズンの栄養2

この時期だけでもオーガニック野菜をメインにしてみてはいかがでしょうか。植物のケイ素（シリカ）のおかげでストレスに強い心を育て、直感力を冴えさせます。

・受験シーズンの栄養3

豆腐料理を週に3回。味噌汁、湯豆腐、煮物、鍋物、揚げだし豆腐。本人が1日おきに半丁食べる量を目安に。豆腐嫌いのお子さんには、チーズ、小松菜、煮干し、しらすを。

第 5 章

人との間で生きる

あいさつは声

281

あいさつがいい声でできると、人との関係もよくなります。

何を言おうか、どう言おうかなんて、むずかしく考えず、胸元からいい声を出すことだけを心がけましょう。

声を出す前にひと呼吸、すんと息を吸えば、のど元ではなく胸から声がでます。胸から声を出して、「おはようございます」「こんにちは」「こんばんは」。それだけですてきな関係が始まります。

嫌われたのかしら

282

なんとなく相手がつっけんどんだったり、返事がこなかったりすることがあります。

それはあなたが嫌われたのではなく、友だちのほうに余裕がないのです。

余裕がある人はおかしな態度はとりませんから、そっとしておくのがいちばんです。

相手が充電し終わるまで待ちましょうか。

283

贈り物を選ぶときの気持ち

贈り物は、何を選ぶかではなく、どんな気持ちで選ぶかが大切です。あなたがご機嫌の日に、ワクワク楽しく買い物をすれば、相手が喜びそう！と勘がはたらくものです。

でもあなたが疲れていたり、時間がなかったり焦っていたりすると、これでいいやと妥協した買い物になりがちです。

義理やノルマで心ここにあらず、適当に買った贈り物は、もらった相手が「なんでこれなのかしら？」と思うかもしれません。

284

ある日のとんかつ

仕事帰りにふと、担当美容師さんの顔が浮かびました。

「そうだ。とんかつを差し入れよう」と思い立ちました。その足でとんかつを届けると、彼女が目をまん丸にして驚いています。

「たったいま、お客さんと『とんかつ食べたい』って話をしていたばかり！　なんでわかったの？」と喜んでくれました。

「思い立ったら吉日」、考え抜いたことよりも、ポンと浮かんだことのほうがうまくいきます。

285

定番の贈り物

本好きには図書カード、忙しい人には「ゆっくりお茶してね」の気持ちをこめてスタバカード、買い物好きにはデパートの商品券、風邪気味の人には「H&F　BELX」のオーガニックのルイボスティー、甘いものが好きな人には「治一郎」の大きなバームクーヘン、疲れている人には竹嶋農園の無農薬リンゴ……。

10ぐらいの贈り物の定番を持っています。どれも厳選した「加茂谷の定番」なので、いつも迷わず選べます。自分の「定番」をいくつか持っておくと、迷わず焦らず気持ちをこめて贈ることができます。

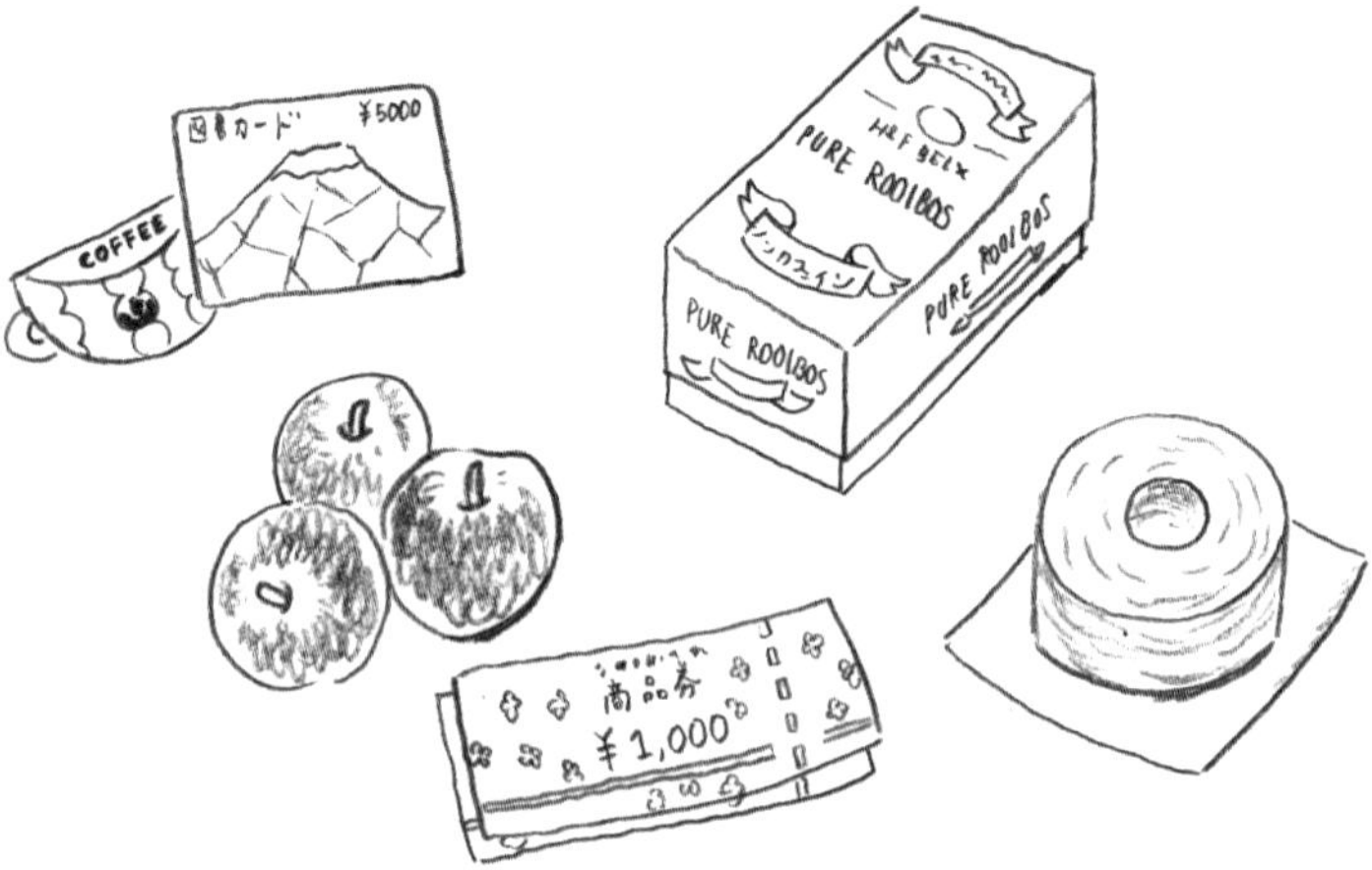

季節の封筒と便箋

286

王冠マークの文具メーカー「ホールマーク」の商品が、小学生のころから好きでした。

かわいい絵柄のレターセットで手紙を書いたり、ほんの気持ちほどお金を包むときも、季節に合った封筒を使います。何より自分が楽しいので、贈った相手にもワクワクが伝わるようです。

小さな贈り物

287

親しい友だちや仕事で大切な人に会うとき、ときどきでいいので、その方が好きそうなお菓子や雑貨などささやかなプレゼントを。無理や見栄や義務感のない範囲で贈り物をすると、とても喜んでくれます。

「私のために、時間とお金を使ってくれてありがとう。うれしい」という喜びが、「贈ってよかったな」という自分自身の喜びをも生みだします。よい記憶はなんとなく残り、次に会う日が待ち遠しくなるでしょう。

288

友だちが離れたように感じるとき

友だちからは、あなたは何もかも全部持っている人に見えているかもしれません。実際にそうなのでしょう。そうすると、関係性も自然と変わります。

自分の成長を止めないでください。いま、ステージが変わる途中なのです。この先にあなたを待っていてくれる、新しい友だちがいます。

289

会ってお祝い

お祝いごとがあったときや、人生の転機を迎えている人には、「お茶しませんか」と声をかけます。メールでやりとりするよりも、会いたいわけです。

転職や進学、家族が増えた、新生活が始まる、そんな節目は大切です。1時間でも、会えば気持ちが伝わります。

290

24時間しかない

1日は24時間しかありません。睡眠や仕事、家事の時間を除くと、人に会うための時間は限られています。

もし友人関係に違和感を感じているのなら、その限られた時間を使ってでも会いたい人なのかどうか。そんなことを考えてみてもいいかもしれません。

関係性は、葉が茂っては散っていく樹木のように、自然と移ろうものです。過去に執着することはありません。

怒りの感情

あなたを傷つけようとする人や卑怯な人に対処するときは、ムカムカと腹も立ちます。

怒っていることをまるっと肯定することが、怒りの感情を手放す近道です。

291

怒りの感情に罪悪感を感じる人もいます。大丈夫です。怒ることはダメなことではありません。肯定していい「まっすぐな感情」です。

まず「なんだとー！　怒ったぞ！」と認識します。

「いま怒っているのだな」と続けて肯定します。「怒りもするよ。しかたがないよなあ」と、さらにしっかりと肯定。プンプンしている自分にまるっとやさしく接し続ける。

そこまで肯定しきったら、「いまの怒り（感情）をキャンセルします」と心のなかで言ってみましょう。ここまでで、5分ぐらいでしょうか。怒りっぱなしでいるよりも、気持ちが落ち着いてきます。

「悔しい」「ゆるせない」「嫌い」などの怒りは、本来長続きしない一時的なものなのに、頭のなかで考えすぎるから長引かせてしまいます。

体も心も苦しくなりますから、さっさと手放すにかぎります。

292

友情をお金に代えない

たとえばあなたが新しいビジネスを始めたとき、友だちは喜んで協力してくれるでしょう。最初のお客さんになってくれて、宣伝もしてくれるかもしれません。

でも、それが続くのは考えものです。知らず知らずのうちに友だちのお財布を頼りにして、友だちの顔がお金に見えてきます。

友情をお金に代えないこと。気をつけたいことです。

293

文殊の知恵

グルグルと考えていい案が出ないときは、経験者や知識のある人を頼ります。「お茶してください！」と懇願し、「文殊の知恵」をいただくのです。

会ったときは体全体で相手の話を聞きます。ひとりで考えているよりも、１００倍ほどいい知恵をいただけるでしょう。

294

親孝行はだれが喜ぶ？

親の誕生日や記念日を祝いましょう。親自身はもちろんですが、実はご先祖が喜んでくれています。亡くなったおじいちゃんやおばあちゃんが「息子を大切にしてくれてありがとうね」「孫をかわいがってくれてありがとう」。そんなふうにどこか遠くで喜んでいるのです。

295

嫌いな人

「嫌いな人のことを考えて、悶々としてしまう」というご相談を受けることがあります。相手がどれだけイヤな奴か、相手がどれだけ常識がないか。そんなお話を伺います。

でも実はこれ、自分の問題です。

その人のその部分に、なぜ「とらわれているのか」ということです。

もしかしたら、同じ面を持っているのかもしれません。あなたのコンプレックスや問題を、相手が投影しているのかもしれません。同じ面を持っていないと、「嫌い」とすら思わないのが人間です。自分の弱さやコンプレックスを克服したとき、すーっと嫌いな気持ちが消えるはずです。

296

「私は幸せを選ぶ」

不幸も幸せも選べます。幸せを選ぶ自由も、不幸を選ぶ自由も、あなたは両方持っています。不幸は「状況」ではなく、選び取った「結果」です。

「私は幸せのほうを選ぶ」と決意した次の瞬間から、世界が変わり出します。

297

ママ友ってなんだろう

子どものつながりで知り合う「ママ友」には、レベル1、レベル2、レベル3があります。

レベル1は知っているだけ、あいさつするだけ、他愛のない会話をするだけ。レベル2は少し悩み相談もできそうになってきた人。レベル3はすべてを打ち明けられる人。

レベル3は100人にひとりいるかいないかです。

ほとんどがレベル1。ママ友ってそういうものです。

でも、あなたが前向きでいると、レベル3の人に出会えるでしょう。ゆっくり見つけてください。

298

ママ友付き合いがつらい

夫の悪口、姑とのいざこざ、自分の子どもを謙遜しながら傷つけるさま。グループ内にそんな負のエネルギーを感じたら、そのなかにいてはいけないあなたです。

広い社会でがんばるお母さんには、ママ友コミュニティから少し浮いている方が、けっこういます。あなたもきっと、そういう方でしょう。

とはいえ、子どものつながりがあるため、付き合いを断ることはむずかしいですよね。「ここは私の居場所じゃないなあ」と思ったら、子どものマネージャーに徹して、ネガティブな話題はスルーを。にっこりスルーしておけば波風も立ちません。本当の自分はおうちに置いておけばいいでしょう。

299

気を消すグレー

合わない人と無理に付き合うことはありません。「ここは自分の場所ではない」と思ったら、あいさつなど最低限の礼儀を守れば、気を消していればいいのです。

気を消したい、目立ちたくない日はグレーの服がいいでしょう。周囲に溶け込む静的な色です。

300

自分から裁きにいかない

人間関係がこじれてしまったとき、やるだけやってあとは待つしかないということがあります。時間が経てばなんとかなったり、時間が経ってもなんともならなかったり。大事なのは、自分から裁きにいかないこと、出来事を支配しようとしないこと。誠意を尽くしたならば、ここはもう引いて、待ちましょう。

301

手ごわい親

この世界にはゴロゴロいます。子どもにとってなかなかハードな手ごわい親。

あなたは当たりくじを引いたのです。自分でこのお母さん、お父さんと環境を選び抜いて生まれました。親との関係を成長の糧にするぞと決意した勇者です。

たとえば……さみしがり屋で自己卑下が強くて、コンプレックスと不安のかたまりの母。支配欲が強く命令の多いガチガチ頭の頑固者の父。子どもを所有物と見て批判ばかりする母。そんな、世界にたったひとりしかいない猛獣お母さん（お父さん）に、ありがとうと言ってあげてください。「お母さん（お父さん）も苦労したんだね。ありがとう。がんばったね」と近づいてみてください。ガブリとくるかもしれませんが、命はとられません。決してよい返事を期待しないでください。

大丈夫です。ありがとうと言えたあなたは、自分で自分を守ることができています。もう親によって傷つくことはありません。いずれ親はこの世からいなくなります。その前にあなたからあたたかい言葉を伝えておくことは、相手のためではありません。

あなたが後悔しないためです。

302

謝る勇気

謝りたいと思ってから、実際に謝罪をするまで、10年かかったことがあります。

友人のお母さまが亡くなったのに、あまりに仕事も家庭も忙しすぎて何ひとつできなかったことがありました。長いあいだ、謝りたいと思っていたのに、タイミングを逃し続けていました。

10年経って、「あのときは本当にごめんなさい」と言えたとき、

「うん。いいよいいよ」

と言ってくれた友人の声が、海のようにあたたかかった。

謝るということは、自分の恥をもう一度語ること。それはとてもむずかしいことだと思います。自分の恥より相手の心を優先できたとき、はじめて謝ることができるのでしょう。

303

どういう存在でありたいか

人間関係で悩んだとき、むずかしい選択を迫られたとき、「do」ではなく「be」で考えると答えが出るかもしれません。何をするか(do)ではなく、どういう存在(be)でありたいか。

「もし私が愛の存在だったら、いま何をする？」

そう問いかけてみましょう。

人にも、自分にも、やさしい答えが導き出せるはずです。

第5章
人との間で生きる

おわりに

人はひどく弱ったとき、だれかのはげましが必要です。

「あなたならだいじょうぶ」

そんなふうに力強くだれかに言ってもらえると、その瞬間から心のベクトルがガラッと変わります。

「弱っていたわたし」ではなくなります。

「勇気を持って前を向くわたし」になれるのです。

はたして、何の力でしょうか。

それは、言葉の持つ力だと思います。


本書『愛のエネルギー家事　すてきメモ３０３選』を読み終えたみなさま。

いま、買おうかどうか迷い、お手に取ってくださっているみなさま。

足を止めて本書にお立ち寄りくださり、ありがとうございます。

この本は、２０２１年の秋、編集者さんに突然降ってきたひらめきから始まりました。

「加茂谷さん。短い言葉で、人の心にばんそうこうを貼るような、保健室みたいで、押しつけがましくなくて、説教くさくなくて。あったかくてやさしい、小さな提案集。そんな本を作りませんか」と。

「おお！　それは！」と、秒で承諾のお返事をしたことは言うまでもありません。

何をかくそう、私自身、何十年も忘れられない言葉がありました。20歳のころ、街角の占い師さんに言われた、

「あなたが困ったとき、かならず助けが入るでしょう」

というひと言です。

私はこの言葉を、その後の人生でいったい何度思い出したでしょう。

なぜ占いに立ち寄ったのかは覚えていませんし、ほかのこまかい内容も忘れてしまいましたが、「あなたにはかならず助けが入る」という言葉が、ずっと支えてくれました。

言葉はまことに不思議です。

言葉ひとつで、考え方も視点も行動も変えられます。

ひとつの言葉が心で育ち、希望・夢・愛へと、かたちを変えます。

すぐにできないことがあっても、それでいいのです。

実際に過去を思い出すとわかるはずです。

5年前、10年前の自分にくらべて、どれだけしなやかに強く、やさしくなったか。考え方が変わり、きゅうくつでなくなったか。

そしてそこには、もう忘れてしまったかもしれない、あなたをはげます言葉があったはずです。

本書は、カタログギフトのように、「どれがいいかな」というワクワク感をたくさん感じていただきたくて、具体的な提案を詰め込みました。仕事、家事、育児、介護で、自分の手も体も頭もへとへとになっているみなさまが、豆腐や魚やもやしを食べて元気になれるように！と願いました。

また、そういった直接的な滋養とは別に、家や職場や雨の日を心地よいものにしてくれている物、道具、衣類の「無言の献身」も、忘れないようにメモしました。

読者のみなさんが、本書のなかに「これこそ！　わたしに！　ぴったり！」という言葉を見つけてくださったとしたら、遠い記憶のなかのあの占い師さんに恩返しができる気がします。

もしも心に残った言葉があったなら、ノートに書き写して、あなた自身のメモを書き足してみてください。

この本をきっかけに、世界に1冊しかない、あなたオリジナルの「すてきメモ」を作っていただくのが、私の願いです。
美しいノートに。

加茂谷真紀

謝辞

令和元年、『愛のエネルギー家事』を上梓しました。

あれから2年以上経って、このたび『愛のエネルギー家事　すてきメモ303選』を生み出すことができました。筆者としてどれほど喜んでいるか、ちょうどよい表現が見つからないほどです。しいて言うならば「うほーい！　わほっ！」といった弾む音でしょうか。

すみれ書房の樋口社長、前著の出版から今日まで、忍耐強くお支えくださり、ありがとうございました。拙著を昼夜問わず陰でどれほど支えてくださっていたか。そのご尽力は、想像することもできません。

本書を作るにあたり「合宿！」と仰ってくれた編集者の飛田淳子さん。本当にありがとうございました。ふたりでゲラゲラ笑い、ウンウン唸り、いやそこはゆずれないぞと攻防を繰り広げ、9回裏・起死回生の満塁ホームランまで、投打ともにやりきった。まさに、高校生のような熱血で駆け抜けてくださいました。これが終わるとさみしくなりますよ（笑）。前作もそうでしたが、相変わらず変化球や魔球の多い自分をよくコントロールしてくださいました。厚く、お礼申し上げます。

イラストレーターの本田亮さん。彼の「すてき」は言わずもがなです。「これ！あれ！好き！」を、あますところなく描いてくださいました。見るたびに心が躍るイラストの数々は、飛田さんの言葉を借りれば「体温が上がる」絶品、娘の言葉を借りれば「見てて、気が抜ける」というほめ言葉でした。そう、世界は緊張感や義務感に満ちているからこそ、ホッとするやさしさが身にしみます。本当にありがとうございました。

アルビレオの草苅睦子さん、小川徳子さんへ。予想をはるかに超えた美しい装丁をしてくださり、今回も「度肝を抜かれ」ました。実は、前回は「タイトルに御霊《みたま》を入れてくれた」おふたりです。「魂をあっちこっちに揺さぶる」ことができるデザイナーさんなのだと、あらためて驚きました。すばらしいお仕事ぶりには、拍手喝采&最高に愛しています。

本書は、私が出会ったたくさんの人たちの助けからできあがっています。友人、知人、お客様、上司に部下に取引先に、お世話になったみなさまとの幾千もの出会いとサポートのおかげで、言葉が出せたと申しても過言ではありません。多くの御縁とお力添えに、この場を借りてお礼申し上げます。ありがとうございました。

そして最後に、この本を手に取ってくださった読者のみなさまへ。
最高の愛と感謝をこめて。ありがとうございました！

〔本書で使った用紙〕
本文――オペラクリアマックス
カバー――ミニッツGA プラチナホワイト
帯――アラベールFS ホワイト
表紙――ブンペル ダンボ
別帳扉――タブロ
見返し――ポルカ カナリア

加茂谷真紀

Maki Kamoya

80年続く寝具店に生まれ育ち、某企業にて多忙な職務につきながら、家事・子育てを両立してきた。40歳を過ぎたころから、右手で人や物の持つエネルギーを感じ取るようになる。都内ベジタリアンカフェからスカウトされたことをきっかけに、ヒーラーとして活動を始める。東京生まれ東京育ち。中学・高校を通して女子校のテニス部部長。空が好きで、ときどき新宿御苑に寝転んで空を眺めている。家族は山男の夫と、欧州在住の娘。著書に『愛のエネルギー家事』『愛のエネルギー家事　めぐるお金と幸せ』(すみれ書房)、『働く私のエネルギー最大化計画』(大和書房)がある。

愛のエネルギー家事

すてきメモ303選

生活と気持ちが明るくなる、
小さな提案集

2022年3月30日　第1版第1刷発行
2024年11月2日　　　第8刷発行

著者　加茂谷真紀

発行者　樋口裕二

発行所　すみれ書房株式会社
〒151-0071 東京都渋谷区本町6-9-15
https://sumire-shobo.com/
info@sumire-shobo.com〔お問い合わせ〕

印刷・製本　中央精版印刷株式会社

ISBN978-4-909957-23-8 Printed in Japan
NDC590 223p 19cm